Bologna in cucina: ricette di famiglia dal 1880

a cura di Beatrice Spagnoli

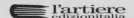
l'artiere
edizionitalia

Indice

La Storia

Le Ricette

Introduzione

è sempre stimolante rivisitare la storia di Bologna perché la nostra
città possiede tanti "tesori" che non sono pienamente conosciuti dagli
stessi bolognesi. Ogni viaggio nella memoria permette di fare scoperte
interessanti e di comprendere come la civiltà di una città sia composta di
un gran numero di tasselli che sono stati costruiti nel tempo e nel tempo
si sono fortificati.

Leggere la storia del panificio-pastificio "Paolo Atti" ha quindi un duplice significato: ricordare la vicenda imprenditoriale di una famiglia che da
oltre 120 anni conduce una ditta che sforna pane, dolci e pasta tirata a
mano tutte le mattine e intraprendere un viaggio attraverso la storia di
Bologna, una Bologna attiva e pulsante nella quale un fornaio venuto
dalla provincia, Paolo Atti, riuscì a trasformarsi in imprenditore del pane
e a costruire un'impresa che é entrata a pieno diritto tra i simboli della
città

Anche grazie alla "Paolo Atti & Figli" si é affermata la cultura del cibo e
del buon gusto che ha reso famosa Bologna e ha fatto da cornice alla cultura del sapere di cui la città va fiera. Non va dimenticato infatti che nella
sede storica della ditta "Atti", in via Caprarie amavano ritrovarsi Giosué
Carducci, Giorgio Morandi e tanti scrittori e artisti.

Appare perciò conseguente che questo libro - nel quale sono raccolti più
di 120 anni di cultura gastronomica petroniana attraverso le ricette di
Casa Atti - venga pubblicato nel contesto delle iniziative che Bologna
capitale europea della cultura ha dedicato alla cultura del cibo.

Esso raccoglie infatti una parte della storia della nostra città e ci fa comprendere come il dinamismo e la capacità di alcuni pionieri abbiano aperto la strada alla Bologna dei nostri giorni.

Oggi il vessillo di questa ditta storica é saldamente nelle mani della quarta e quinta generazione che discende dal fondatore. Il negozio di via

Caprarie conserva ancora gli splendidi arredi in stile Liberty e ciò dimostra la volontà di tutta la famiglia di tramandare una così significativa tradizione.

Sono perciò lieto di porgere il mio saluto alla "Paolo Atti & Figli", a tutti i componenti della famiglia che guidano l'azienda e a quanti operano per tenerne alta la bandiera per raggiungere nuovi traguardi.

È un saluto, il mio, che vuole testimoniare l'apprezzamento della città a chi si è impegnato, con intelligenza, a farla crescere e migliorare.

Giorgio Guazzaloca
Sindaco di Bologna

*R*icette scritte a inchiostro e in bella calligrafia, e raccolte in vecchi qua dernini neri col bordo rosso. Ricette, che sono state tramandate di madre in figlia dalle donne di casa Atti nel corso di un secolo. C'è un patrimonio di grande valore, in quei fogli di carta ingiallita, che appartiene alla 'cultura del cibo' petroniana. Si tratta, infatti, di autentiche testimonianze della cucina casalinga all'ombra delle Due Torri: i piatti che le donne bolognesi usavano realizzare per i pranzi domestici e le occasioni private. Ma, proprio come sono abituate a fare le donne di casa, spesso in quei quaderni le varie preparazioni sono spiegate solo con semplici annotazioni. Le 112 ricette riportate nel libro sono fedeli alla stesura originale: non sempre, dunque, il procedimento è alla lettera e, talvolta, le dosi sono pressappoco. Ma chi ha esperienza ai fornelli, saprà ugualmente ben destreggiarsi.

Questo libro è ben più di un semplice manuale di ricette: è il documento di un'epoca a tavola, che vede come protagonista Bologna. E, di speciale, ha il fatto che le autrici delle ricette sono le donne della dinastia Atti, ditta storica dal 1880 che ha legato il suo nome ad una produzione alimentare di qualità. <Atti>, tuttora nella sede originaria di via Caprarie 7 e di via Drapperie 6, rappresenta dunque un'autentica istituzione per Bologna, poiché è depositaria di una parte fondamentale della sua tradizione gastronomica: all'insegna della cucina di casa, che si è sviluppata insieme a quella, accreditata internazionalmente, dei ristoranti. Una tradizione 'golosa': fatta di pane, di dolci, di pasta tirata a mano tutte le mattine e di delikatessen.

All'inizio ci fu Adele, la moglie del fondatore Paolo Atti, poi fu la volta di Margherita, quindi di Paola e, oggi, di Anna Maria e delle sue figlie. Troviamo i loro nomi, su quei quadernini. A testimonianza della continua ricerca in cucina che le cinque generazioni degli Atti, di madre in figlia, hanno portato avanti fino al Terzo Millennio. Talvolta, invece, le ricette portano i nomi di altre parenti e di signore bolognesi – la zia Nerina, Velia, Silvana, Lisa e così via – che costituirono fonti preziose da cui le varie preparazioni sono state apprese e gelosamente conservate.
Ci si potrà cimentare ai fornelli, con queste ricette, per imbandire un intero pasto, dall'antipasto al dolce. Compiendo, nello stesso tempo, una sorta

di excursus cultural-gastronomico sull'evoluzione della cucina casalinga petroniana. Ma, anche leggendo semplicemente queste ricette e soffermandosi sugli ingredienti e sulle dosi, si potrà scoprire come sia cambiata la cucina bolognese nel corso dei decenni, in sintonia con i mutamenti dello stile di vita dell'ultimo secolo.

Questo libro, dunque, oltre che un prezioso ricettario da utilizzare in cucina, vuole essere la testimonianza dell'evoluzione del gusto sotto le Due Torri. E anche l'occasione per un 'viaggio' che - attraverso la storia della dinastia Atti - condurrà a ritroso a scoprire 'come eravamo', lungo un 'flash back' ricco di aneddoti e curiosità.

Beatrice Spagnoli

Questa seconda edizione, che esce due anni dopo la prima - pubblicata nel 2000 in occasione dell'anniversario dei 120 anni di attività della ditta <Atti> - si presenta ulteriormente arricchita.

Abbiamo voluto aggiungere la sezione 'Natale a tavola', che comprende due menù completi, per la cena della Vigilia e il pranzo di Natale, secondo la più tipica tradizione bolognese.

Inoltre, questa edizione propone una serie di ricette inedite (primi piatti, pietanze e, soprattutto, dolci) che Anna Maria Bonaga, attuale titolare dell'azienda, ha ulteriormente 'recuperato' dai quadernini delle donne di casa, preziosa miniera di ispirazioni gastronomiche petroniane.

Non solo: accanto a queste ricette di famiglia, Anna Maria ne ha aggiunte altre, fornite da amiche e collaboratrici. Secondo l'usanza delle signore di un tempo, che già apparteneva a nonna Margherita e a mamma Paola, di scambiarsi i segreti della preparazione dei piatti. Così, in questa edizione, ecco che nuovi nomi di donne si aggiungono in calce a firmare le ricette.

Antipasti e torte salate

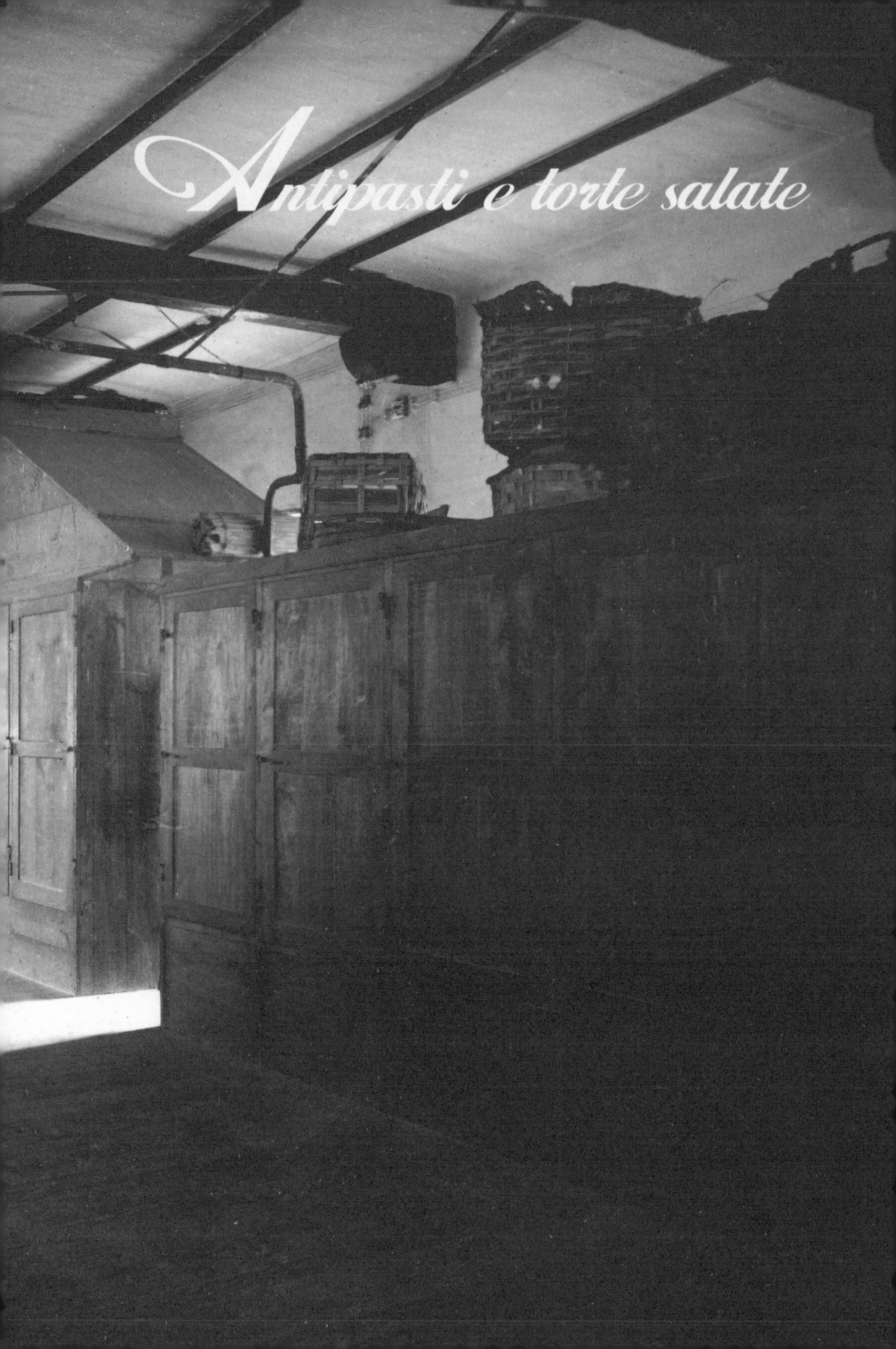

$\mathcal{S}$andwich

Imburrate leggermente i pezzetti di pane a fettine,
tra l'uno e l'altro mettete:

prosciutto cotto passato allo staccio
qualche cappero passato allo staccio
1 tuorlo d'ovo sodo passato allo staccio
1 cucchiaino d'olio
1 cucchiaino di rhum
1 ravanello tritato finissimo
Volendo si può sostituire il prosciutto con tonno e acciughe

Margherita, anni 20

Insalata russa con gelatina

Fare una insalata russa mettendovi in mezzo qualche cucchiaio di gelatina e qualche filetto d'acciuga. Prendere uno stampo mettere in fondo allo stampo 2 dita di gelatina, lasciare rassodare, prendere un uovo sodo, col giallo dell'uovo piantarlo nella gelatina, col bianco formare dei petali disponendoli attorno al rosso formando una margherita. Riempiere lo stampo di insalata e mettere in ghiaccio.

Nerina, anni 30

Piatto freddo di insalata russa e uova ripiene

Calcola circa 1 uovo solo per persona. Ripieno, come si vorrà, cioè tagliare a metà l'uovo levando via il rosso per amalgamarlo a proprio piacimento con altri ingredienti. Fare una insalata russa di tutte le verdure (cioè carciofi, carote, patate, cavoli, piselli, fagiolini). Preparare il piatto da portare in tavola. Nel mezzo del piatto mettere l'insalata già condita con maionese, ai bordi mettere le uova già ripiene ricoprendole con maionese, guarnire il piatto solo sopra l'insalata con olive e acciughe e scampi o gamberetti.

Nerina, anni 30

Chifel salati

Ingredienti:
Patate cotte e passate gr. 200
burro gr. 200
farina gr. 200

Preparazione:
Impastare tutto, mettere 2 ore al freddo; tirare e piegare come la pasta sfoglia cambiando sempre pieghe per 6 volte. Tirare sottile e tagliare in quadretti di 5 cm. per lato, arrotolarli come chifel dopo aver messo internamente il ripieno (prosciutto, acciughe o formaggio). Cuocere al forno pennellati di rosso d'uovo. Servirli caldi.

Marta, anni 30

Torta di formaggio

Ingredienti:
Farina g 300
Burro g 200
Uova intere
Dose per 1/2 Kg
Sale quanto basta

Preparazione:
Fatta la pasta si fodera uno stampo unto bene e si fa cuocere in uno stampo col cerchio staccato.
Si sbattono 5 uova intere, 3 cucchiai panna, g 150 emental svizzero grattugiato, g 150 di bel paese tagliato a dadini. Si versa tutto nello stampo e si mette al forno per circa mezz'ora. Si serve caldo.

Nerina, anni 30

I TORTELLINI sono confezionati di vera carne suina con sfoglia impastata di vero ovo ravvivata leggermente con naftol s.

*P*astine al formaggio

Ingredienti:
Burro g 100
Farina g 100
Parmigiano g 100

Preparazione:
Impastare burro parmigiano e farina. Spianare la sfoglia con lo stampino, fare le pastine, mettere al forno non molto caldo.

Nerina, anni 30

*P*anini caldi

Per panini caldi mettere burro e una fetta di Robiolina Galbani e al forno, si servono caldi. Volendo ci si mette anche dadini di mortadella.

Nerina, anni 30

Rossi gialli verdi

Ingredienti:
Pani in cassetta due di circa 3 etti l'uno
Spinaci 5 etti
Rossi d'uovo 2
Burro 1 etto
Formaggini Camoscio 4
Prosciutto crudo 1 etto

Preparazione:
Lessare gli spinaci, passarli al setaccio, passarli al fuoco con sale burro e forma.
Passare dalla macchina un etto di prosciutto crudo, e montarlo col burro.
Montare i due rossi d'uovo con i formaggini svizzeri. Togliere dal pane tutta la crosta fare delle fette alte mezzo centimetro spalmare su ognuna gli spinaci, il prosciutto montato col burro e i rossi d'uovo con i formaggini. Unire le fette del pane spalmato una sopra l'altra, stringerle bene incartandole in una carta da pasticceria e mettere in frigo per tagliarle il giorno dopo.

Tosca, anni 30

Antipasto della Paola

Prosciutto, salame, carciofini, acciughe, tonno, insalatina di ravanelli, cipolline fresche, centri di finocchio, sardine sott'olio, funghi sott'olio, olive e burro

Paola, anni 40

Piatto di uova sode con maionese

Tagliare a metà le uova, impastare i rossi d'uovo con tonno acciughe (poco) e richiudere le uova metterle in un piatto e ricoprirle molto bene con una maionese piuttosto densa.

Paola, anni 40

Insalata di wurstel

Si può fare anche insalata con wurstel tagliati a piccole fettine e cetrioli. I wurstel e i cetrioli tagliati a fettine e conditi con olio (i wurstel vogliono pelati).

Paola, anni 40

Stecchini piccanti

Ingredienti:
Capperi
Cetrioli
palline di zuppa reale
wurstel

Preparazione:
Mettere, infilati in uno stecchino, 1 cappero, pezzetto di cetriolo, una pallina di zuppa reale, un pezzetto di wurstel e un altro cappero.

Paola, anni 50

Rotolini al salmone

Ingredienti:
Crèpes
Formaggi teneri (casatella, Philadelphia) o caprino
Salmone affumicato
Rucola

Preparazione:
Preparare le crèpes, mescolare i formaggi con il salmone tritato e la rucola lavata e spezzettata. Spargere questo composto su ogni crepe, arrotolarla e tagliarla a tronchetti da presentare in piedi.
Conservare in frigo.

Chiara, anni 90

Tartine della Tosca

Ingredienti:
Pane in cassetta

Preparazione:
Tagliare il pane a quadretti o rettangolari. Preparate una besciamella con 30 grammi di burro, 2 cucchiai di farina, 1 etto di emmental e un uovo intero, sale poco. Spalmare sul pane e mettere al forno per 10 minuti a fuoco vivo. Le fettine di pane vanno bagnate solo da una parte nel latte e messe in una ruola unta di burro, si spalma la besciamella e si mette in forno.

Tosca, anni 50

*P*aolo Atti. Arrivò a Bologna dalla provincia nel 1877 come semplice fornaio, e divenne in breve tempo un vero 'imprenditore' del pane, riuscendo ad aprire ben tredici panetterie a Bologna, Casalecchio e Montecatini. Paolo Atti veniva da una famiglia di contadini, di stampo patriarcale, come tante ce n'erano nella Bassa bolognese. Suo padre, Serafino, e sua madre, Carolina, facevano gli agricoltori. In famiglia, oltre a lui, c'erano altri cinque figli: Pietro, Raffaella, Elisa, Elvira e Rosa.

Gli Atti erano originari del borgo di Sabbiuno, nei pressi di Castel Maggiore, e in casa i mezzi erano pochi. Paolo, ben conoscendo l'arte di fare il pane - che a quell'epoca in campagna si faceva in casa - decise di venire a Bologna in cerca di fortuna. Aveva 28 anni e grinta da vendere. Secondo quanto si racconta in famiglia, Paolo iniziò come garzone per poi scoprirsi la stoffa dell'imprenditore. La figura del fondatore si è tramandata in famiglia attraverso le generazioni. Tuttora si conserva l'immagine di un uomo energico e decisionista: così lo ricordava Margherita, sua figlia. E così lei lo dipingeva alla figlia Paola e poi alla nipote Anna Maria, attuale titolare dell'antico forno. Di sicuro, si sa che l'intraprendente Paolo cominciò subito a rimboccarsi le maniche dando vita in poco tempo ad una florida attività imprenditoriale.

Nemmeno la famiglia ricorda esattamente l'ubicazione di tutti gli esercizi che il fondatore, nel giro di poco tempo, aprì in città. Quel che è certo, è che il fiuto da imprenditore gli fece mettere gli occhi inizialmente su uno dei negozi di panetteria più antichi di Bologna, che portava l'insegna (tuttora visibile sopra l'ingresso del negozio di via Drapperie 6) 'Antico Forno Piemontese', uno dei più antichi e rinomati di Bologna, la cui attività è attestata almeno sin dagli inizi dell'800. E i documenti sull'attività del forno di via Drapperie, tuttora in possesso della famiglia, testimoniano che Paolo Atti già nel 1880, ma forse ancor prima, era un imprenditore attivo e pieno di risorse. In quegli anni rilevò, dunque, l'attività dello storico forno di via Drapperie, prendendo in affitto i locali dalla famiglia Scagliarini. E, come si conveniva ai fornai, decise di alloggiare con i suoi in un appartamento proprio sopra il forno. Che poi lui, grazie a una botola tuttora visibile sul soffitto del corridoio che si allunga nel retrobottega, rese direttamente

Paolo Atti

In primo piano Paolo e Adele Atti.
Dietro da sinistra Giuseppe Fabbri con la moglie
Margherita Atti e il fratello di lei, Armando.

comunicante col negozio. Qui, in Drapperie, nei due piani di seminterrati del locale, a quel tempo prendevano posto i forni per fare il pane e qui erano stivati il carbone e anche la farina.

I 'boss' dei tortellini. Pochi anni dopo Paolo Atti - per il quale gli affari stavano andando a gonfie vele ed era più che mai deciso ad allargare la sua attività imprenditoriale - si interessò al Pastificio Zambelli, ubicato al civico 5 di piazza della Mercanzia. Atti, stavolta, si mise in società con Enrico Zambelli & C., casa fondata nel 1865: uno dei nomi più importanti di 'Bologna la grassa' di fine secolo nella produzione di pasta, al pari dei Fratelli Bertagni. La ditta Zambelli, che vantava un grande stabilimento in via Cavaliera 16 (oggi via Oberdan) e la Società Pastifici riuniti 'Zambelli & Bassi' a Casalecchio, produceva già allora tortellini e 'pasta di lusso'. E, come testimoniano i disegni pubblicitari di quegli anni, esportava già in tutto il mondo. Nell'excalation di Paolo Atti, dunque, mettersi in affari con Zambelli costituì il vero 'salto di qualità'.
Il documento che testimonia che Enrico Zambelli e Paolo Atti divennero soci nel famoso pastificio del centro storico, è tuttora conservato alla Camera di Commercio, ed è datato 29 agosto 1898. Nello scritto si certifica la società costituita, due giorni prima, da Atti con Enrico Zambelli e Natale Serra *in accomandita per la fabbricazione delle paste alimentari e tortellini*. E, come attesta il documento, tra i soci accomandanti, ossia partecipanti non alla gestione ma solo per la quota investita, figurano *i signori Paolo Atti, Carlo Rimoldi, Natale Castellari e la Ditta Spagnoli e Padovani di Imola*. Il capitale sociale versato ammonta a una bella cifra di allora: ben 29.600 lire in totale di cui 12.700 versati dalla Ditta Spagnoli e Padovani, 7.100 da Carlo Rimoldi, 4.200 lire da Paolo Atti, 2.600 lire da Natale Castellari e 3000 lire da Natale Serra. La durata della società, come da contratto, sarebbe stata cinque anni, fino al 30 giugno 1903. Il pastificio dovette funzionare a pieno ritmo facendo fare affari d'oro ai soci. Tant'è vero che, nell'agosto 1903, come pure risulta da un altro documento della Camera di Commercio ed Arti di Bologna, l'intraprendente imprenditore-fornaio rilevò l'intera proprietà della Ditta Zambelli, compresi i muri.

Il pastificio Zambelli in Piazza Mercanzia 5, che
viene acquisito da Paolo Atti nel 1903.

Macchine piegatrici del pastificio "Paolo Atti &
Figli" all'inizio del '900. Sullo sfondo, si notano le
finestre con i decori Liberty come erano prima del
rifacimento della facciata del palazzo di via
Caprarie 7.

Il palazzo di via Caprarie 7. Fu costruito prima della ristrutturazione modernista del centro storico. Come testimoniano i documenti dell'Archivio Storico del Comune di Bologna-Registri di protocollo del Titolario amministrativo, la richiesta per costruire la casa di via Caprarie 7 fu fatta da Paolo Atti nel 1903 (prot.3500). E la licenza per l'inizio dei lavori fu concessa dal Comune in data 24 maggio 1905 (prot.7961). Al 1907 (prot.10455), invece, risale la richiesta di collocazione di un cancello in via Caprarie 7, da cui si può dedurre che il palazzo, in quell'anno, fosse già stato ultimato. Altri documenti non ve ne sono, dal momento che l'ufficio comunale preposto all'edilizia privata subì un incendio nel 1936, nel quale andò perduta gran parte della documentazione.

Palazzo Atti fu edificato nello spazio lasciato libero dopo la demolizione di quegli stabili fatiscenti della ex 'Calzoni', come lo erano del resto gli altri di quella zona, che fu soggetta alla risistemazione con il nuovo piano regolatore. L'imprenditore bolognese fa costruire un palazzo di quattro piani, più un soppalco adibito all'alloggio della servitù, che divenne, nella Bologna di allora, un simbolo tangibile del benessere raggiunto, come testimonia anche lo stemma di famiglia: spighe di grano raccolte in un mazzo con le iniziali 'P.A.'. Una volta ultimato l'edificio, l'imprenditore decise di trasferire il panificio-pastificio di piazza Mercanzia acquisito pochi anni prima, proprio in via Caprarie. Per gli arredi, tuttora in gran parte ben conservati, non badò a spese. Il negozio divenne uno splendido esempio della magnificenza del Liberty, e era la più eloquente immagine della fortuna che andava accumulando l'imprenditore-fornaio, ormai divenuto uno dei maggiorenti cittadini.

Via Caprarie è una delle strade più antiche del centro storico, in pieno Quadrilatero – zona intensamente vissuta fin dal Medioevo – e deve il suo nome alla famiglia degli Scannabecchi, che lì, in quella strada, esercitava l'onorato mestiere del beccaio, ossia del macellaio. La strada inizialmente si chiamò Ruga degli Scannabecchi, poi Guasto dei Beccari. Tant'è che al numero 3, a pochi passi dal negozio 'Atti', si può tuttora vedere l'antica insegna della Casa dell'arte dei Beccai. Il termine 'Caprarìa' si riferiva alle macellerie, specialmente di ovini, e al mercato del bestiame che vi si tenne fino al 1680 quando, per ordine del Senato, fu trasferito nella piazza del Mercato.

Atti, dopo avere costruito il nuovo edificio, provvide anche a unire internamente gli spazi del suo negozio di via Caprarie con il panificio di via Drapperie, i cui locali, tuttora, sono in affitto. Negli anni '40, infatti, l'ultimo discendente della famiglia Scagliarini avrebbe lasciato il palazzo (dove tuttora c'è il negozio 'Atti') e altre proprietà in donazione al Ricovero di Mendicità, e successivamente sarebbe passato al Giovanni XXIII. Unificare gli spazi dei retrobottega si rivelò un'idea vincente, per la razionalizzazione dell'attività dei due esercizi, dove si faceva il pane (in via Drapperie) e si producevano la pasta e i dolciumi (in via Caprarie).

Dopo la morte di Paolo Atti, il palazzo subì delle modifiche. In particolare si rese necessario farlo arretrare rispetto alla strada, a causa dei lavori per il rifacimento dell'intera zona, imposti dal nuovo piano regolatore. Contestualmente agli sventramenti del caratteristico Mercato di Mezzo, via Caprarie fu allineata a via degli Orefici, per consentire un collegamento rapido tra piazza Re Enzo e piazza della Mercanzia.

Il rifacimento della facciata del palazzo Atti, dunque, rientrava in quello stesso disegno di razionalizzazione e modernizzazione previsto nel piano regolatore del 1889, per cui la nuova via Rizzoli prese il posto dell'antica via del Mercato di Mezzo. E, nella zona del Quadrilatero, fin dal Medioevo fitta delle torri delle famiglie più ricche e potenti, per far posto ai grandi palazzi della nuova arteria centrale, nel contesto del nuovo piano urbanistico, nel 1919 furono sacrificate le torri dei Guidozagni, degli Artenisi e dei Riccadonna. Nel sofferto dibattito culturale cittadino di quegli anni, in cui i bolognesi si schierono pro o contro lo sventramento di questa zona del centro città, Giuseppe Fabbri, marito di Margherita, si battè strenuamente contro l'abbattimento delle torri. Contro, cioè, quel progetto di risistemazione che avrebbe comportato anche l'ampliamento di via Caprarie e, dunque, l'arretramento del palazzo Atti. Ma non servì a niente. Nonostante la sua fiera opposizione, i discendenti di Paolo Atti dovettero dare il via ai lavori di arretramento della facciata. Il rifacimento è dimostrato dalla scomparsa delle finestre Liberty a bifora al primo piano dell'edificio, che invece sono visibili in alcune foto dei tempi di Paolo Atti.

Un imprenditore dell'arte bianca.

Intanto l'attività di Paolo Atti si allargava. Non è possibile, oggi, stabilire l'ubicazione di tutti i forni di sua gestione o proprietà. Di sicuro, Paolo Atti aveva una pasticceria nella zona del Quadrilatero, all'angolo tra via Orefici e via Ranocchi, che porta ancora l'insegna 'Antica Pasticceria', e che a sua volta denotava un'origine dell'attività ben antecedente. Inoltre possedeva il 'Forno Lambertini' in piazza Aldrovandi che, successivamente, sarebbe stato gestito per lungo tempo dalla nipote Paola, figlia di Margherita. Più tardi, l'imprenditore bolognese del pane avrebbe aperto un grosso pastificio a Casalecchio. Che, come i forni in città, portava l'insegna 'Atti'. La scalata prosegue negli anni successivi, quando aprì una nuova rivendita a Montecatini, luogo di gran mondanità dell'Italia di inizio Novecento, come lo erano una volta le località termali, che dunque suggellò il prestigio del nome 'Atti'.

'Pavlòn', come tutti lo chiamavano era un uomo energico, che nella sua azienda sapeva tenere tutti sotto controllo. Si ricorda ancora un episodio di cui fu protagonista. Atti andava spesso di persona a fare delle improvvisate nei suoi vari forni, per verificare che tutto procedesse per il meglio. Una volta, scendendo nel forno di via Drapperie, si accorse che c'era un dito di farina per terra. E la farina, a quei tempi, era un bene davvero prezioso. Fu così che 'Pavlòn' cominciò ad aprire i sacchi e a buttare a sua volta per terra altra farina, sotto gli occhi increduli dei fornai. A chi gli chiese spiegazioni di quel gesto che appariva incredibile, rispose, come monito: <*Se potete sciupare la farina voi, che siete dei semplici dipendenti, non lo posso fare io che sono il padrone?*>. Questo, era Paolo Atti.

All'alba del nuovo secolo, Paolo Atti era più che benestante e, in città, era tra i personaggi più in vista. Tant'è che, insieme alla moglie Adele, frequentava i migliori salotti e, in casa sua, riceveva industriali e intellettuali. Erano gli anni in cui l'intellighenzia culturale dell'epoca usava darsi appuntamento tra le golosità del negozio in stile 'Liberty' di via Caprarie. Da Giosuè Carducci a Giorgio Morandi, dal commediografo Alfredo

Testoni, allo scrittore Giuseppe Raimondi: gli artisti amavano sostare qui, a dissertare tra dolci e tortellini con l'amico Paolo Atti.

Con il benessere raggiunto, per prima cosa Atti provvide a dare una consona sistemazione ai suoi fratelli e sorelle. Per un caso del destino, il cognome di famiglia non si è trasmesso fino ad oggi. Se non attraverso il nome del negozio, che tuttora testimonia i 120 anni della ditta da lui fondata. Paolo Atti morì il 12 luglio 1910, a 61 anni. E, a testimonianza del ceto sociale che, con tanti sforzi, aveva raggiunto, è il servizio che venerdì 15 luglio il 'Resto del Carlino' dedica all'abile fornaio-imprenditore. Il quotidiano riporta la cronaca delle esequie celebrate nella Chiesa di San Bartolomeo, dove poco tempo prima si era sposata Margherita, dice testualmente: <*....si è rinnovata quella sincera manifestazione di affetto e di simpatia alla memoria dell'estinto....Cittadini di tutti i ceti e di tutte le condizioni hanno assistito commossi e reverenti all'esequie di un uomo che lascerà perenne ricordo di sé e largo rimpianto per il bene fatto durante la sua vita*>. Al funerale, testimonia ancora la cronaca del 'Carlino', *parteciparono tutti gli operai degli stabilimenti 'Atti' con la bandiera della Lega dell'arte bianca*>. Lungo il percorso del corteo funebre, come viene evidenziato dal quotidiano <*...quasi tutti i negozi erano chiusi in segno di lutto*>.

Le réclame. Manifesti, volantini e packaging con disegni e scritte nello stile in voga di quegli anni, il Liberty. Paolo Atti, divenuto proprietario del famoso forno e pastificio Zambelli in piazza Mercanzia 5 (fondando contestualmente una società con il figlio Armando, la 'Paolo Atti e Figlio') utilizza questo marketing per i suoi prodotti già a fine '800, come del resto era usanza delle ditte e dei negozi bolognesi più in voga di quegli anni. Si tratta di manifesti caratterizzati dai tipici decori floreali e dagli altri stilemi dalle lineee curve e sinuose di quel periodo. Attraverso quelle forme di réclame Atti pubblicizza i suoi celebri tortellini e le paste alimentari, tra cui le sue famose 'pastine per ammalati' <*altamente raccomandate* _ come recita una reclame in lingua inglese _ *per i bambini, gli invalidi e per tutti coloro con poco appetito*>. In un'altra pubblicità, il 'Pastificio Enrico Zambelli & C.', di cui 'Atti Paolo e figlio' sono divenuti proprietari, si segnalano, oltre ai tor-

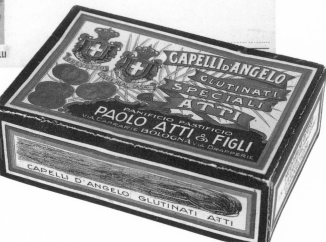

Sopra, una réclame di "Paolo Atti & Figli" e, sotto, un esempio di packaging dei primi anni del '900, quando lo stile Liberty era di gran moda.

tellini, le *<paste all'ovo e con verdura e la zuppa imperiale>* e, nella stessa reclame, vanta *<nove medaglie d'oro, sei diplomi d'onore, brevetti delle reali case d'Italia
e Sassonia, diploma e medaglia d'oro di membro titolare dell'Accademia universale di
scienze ed arti industriali – Bruxelles 1888>*. Ma anche il Premiato Panificio
piemontese 'Atti Paolo' di via Drapperie 6 a/b a cavallo di fine secolo si
pubblicizzava vantando *<forni meccanici perfezionati e forni di specialità della
Ditta>*. Quanto alla produzione, il manifesto metteva in bella vista per la
clientela l'indicazione: *<Pane fresco quattro volte al giorno>*. Dalla réclame,
inoltre, si deduce la varietà dei prodotti del forno già in quegli anni: *<Pane
viennese, francese, toscano, piemontese, ferrarese, pisano, bolognese _* viene elenca-
to. In più, la *<lavorazione perfetta dei grissini uso Torino e il deposito di vera pasta
di Napoli>*.
Le réclame continueranno ad essere un leit motiv, nell'attività di Paolo
Atti, anche dopo il trasferimento in via Caprarie 7, dove il forno già di sua
proprietà assumerà finalmente il nome di 'Paolo Atti & Figli', una volta
fatta entrare nella società anche la figlia Margherita. Le belle scatoline in
cartone policromo con disegno Liberty, per esempio, erano utilizzate per i
tortellini che, in questi splendidi contenitori, a quei tempi viaggiavano
anche per l'export. Come si segnala in un'altra locandina pubblicitaria:
*<Tortellini freschissimi che sono conservati in scatole da 250 a 500 g. E' la speciali-
tà della casa>*. Queste stesse scatole sono utilizzate tuttora, fedeli alla produzione dei modelli originali, dalla ditta 'Atti' per le loro specialità gastronomiche da vendere in negozio.
Ma la propaganda commerciale, alla fine dell'800, si faceva anche attraverso le strofe dei poeti dialettali, in città come Bologna, ancora saldamente legata alle sue tradizioni e con un background di letteratura vernacola-
re allora nel pieno della fioritura. Dunque, era normale a quei tempi affidarsi alla creatività di qualcuno di questi cantori in dialetto o che compo-
nevano in rima, come oggi sarebbe affidarsi ai moderni copywriter. E quelle poesie, suonavano allora come autentici slogan pubblicitari. Atti, per
esempio, si affidò all'arguzia del commediografo Alfredo Testoni, che nel
1880 aveva fondato il giornale umoristico *Ehi! Ch'al scusa!…..* Non di rado,
infatti, frasi estrapolate dalle sue celebri commedie - in primis il gustosis-

simo poemetto dialettale *La sgnera Cattereina* - erano utilizzate come battute ad effetto per fare pubblicità a questo o a quel prodotto. Atti si affidò
anche all'abilità compositiva di uno dei poeti più in voga in quegli anni:
Carlo Zangarini, lo stesso che aveva composto le celebri strofe di réclame
dell'Idrolitina del Cavalier Arturo Gazzoni.
Così recitano i versi composti da Zangarini per 'Paolo Atti & Figli': <*Un
biondo tortellino dal fondo a una zuppiera, con molta sicumera diceva a un suo vicino: - Non senti l'aria invasa da balsami divini? Siam proprio tortellini, di quelli fatti
in casa! –
L'altro scattò: - Gran boria! Che importa che t'infinga di sfoglia casalinga? La cuoca
ha meno storie! Se li vuol buoni, infatti, e pari a quei di casa, lei cuoce persuasa i tortellini d'Atti! -* >.

Primi e zuppe

$\mathcal{M}$inestra nel sacco

Ingredienti per 8 persone:
Uova n. 4
Forma cucchiai abbond. n. 8
Semolino cucchiai abbond. n. 8
Farina cucchiai scarsi n. 8
Mortadella etti 1
Burro 4 balocchi (circa g 70)

Preparazione:
Pestare molto bene la mortadella prendere un pannolino bagnarlo spremerlo molto bene mettere tutto l'impasto facendo una palla legarla bene e mettere a cuocere nella pentola per 2 o 3 ore circa. Lasciare raffreddare e tagliare a dadi mettendo a cuocere poco nel brodo.

Velia, anni 10

Passatelli

Ingredienti:
Pane grattugiato bianco kg 0,400
forma kg 0,240
un cucchiaino di farina bianca
uova n. 6
noce piccola n. 1
burro g 50

Si ricava circa kg 0,930 di passatelli

Margherita, anni 20

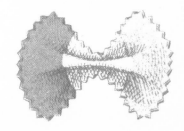

Ingredienti per 5 persone:
Fiore g 150
Burro g 150
Forma grattugiata g 150
Uova fresche 5
Un bicchiere da tavola di latte
Sale e noce moscata in propor-
zione

Zuppa imperiale

Preparazione:

Si scioglie il burro in una casseruola, si unisce la farina e si fa bollire 5 minuti adagio e rimescolando. Si lascia intiepidire e vi si aggiunge i 5 rossi mescolandoli bene, quindi il latte versando adagio e mescolando poi la forma e per ultimo le chiare montate a neve. Si unge col burro una ruola, si sparge di farina e si versa l'impasto che non deve superare il dito d'altezza. Metterla a forno freddo e calore moderato, cotta deve venire appena rosa. Ogni ovo che si aumenta, si aumentano in proporzione 30 g di farina, burro e forma.

Margherita, anni 20

Ricetta del ripieno del vero tortellino di Bologna

depositata alla Camera di Commercio nel 1974 dall'Accademia Italiana della Cucina

Ingredienti:
Lombo di maiale rosolato al burro g 300
Prosciutto crudo g 300
Vera mortadella di Bologna g 300
Formaggio Parmigiano-Reggiano g 450
Uova di gallina n.3
Noce moscata n. 1

Fior d'ovo di latte

Ingredienti per 4 persone:
Dose per 4 persone
Latte l 1/4
Uovo n. 3
Forma g 70
Sale
Noce moscata

Preparazione:
Sbattere molto bene le uova, unire poi la forma, il sale e la noce moscata e da ultimo il latte. Ungere bene degli stampini da fior di latte e versarvi il composto. Cuocere a bagnomaria.
Mettere uno sformatino in ogni scodella, versare un mesco di brodo bollente e servire.

Anna Maria, anni 50

*Z*uppa di ricotta

Ingredienti:
Ricotta g 250
Uova intere 1
Forma cucchiai 8
Farina cucchiai 2
Sale, pepe, noce moscata

Preparazione:
Mescolare il tutto molto bene e formare delle piccole palline quindi friggerle in olio, arrosolare e versarle infine nel brodo bollente.

Anna Maria, anni 50

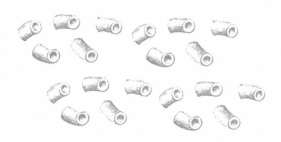

$\mathcal{M}$accheroncini Pappagallo

Ingredienti:
Sedani freschi g 500
Cipolla g 50
Sedano g 100
Prosciutto g 50
Ovarine g 200
Vitello g 150
Lombo g 150
Panna g 250
Animelle g 200

Preparazione:
Stufare bene con olio e burro la cipolla e il sedano tritati fini, aggiungere il prosciutto tritato. Poi aggiungere lombo e vitello a dadini, sale, pepe. Rosolare e poi sfumare con brandy e marsala velocemente. A parte cuocere ovine e animelle. Aggiungere poi la panna e tirare con parmigiano.

Paola, anni 50

  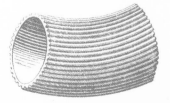

*C*annelloni ripieni di ragù

Ingredienti:
Sfoglia 5 uova
Ragù di vitello g 800
Funghi g 100
Pancetta g 100
Emmental g 200
Besciamella soda 4-5 cucchiai
Odore di cipolla

Preparazione:
La sfoglia tagliare dei quadrati di 6 centimetri da una parte e 8 dall'altra, cuocere come le lasagne e riempire di ragù i cannoli, aggiustarsi in una ruola unta di burro e grattugiare sopra i 200 g di emmental, coprire con una besciamella lenta circa 30 minuti al forno. Vengono fuori circa n. 66 cannelloni, bastano per 12 persone.

Maria, anni 50

$\mathcal{M}$accheroni Dolce Vita

Preparare una besciamella non troppo densa (l 0,500 latte, g 50 burro, g 30 farina). Tagliare a dadi i petti di pollo, rosolarli nel burro e aggiungere vino bianco, quando è assorbito aggiungere dadini di prosciutto cotto, cuocere ancora per un po'. Tolto il condimento dal fuoco aggiungere dadini di emmental, fettine di tartufo e panna vergine. Cuocere al dente i maccheroni, poi condirli con burro, parmigiano e mezza besciamella. Ungere una pirofila, mettere i maccheroni, stendere sopra la besciamella rimasta e fettine di tartufo. Al forno a gratinare un po'.

Paola, anni 50

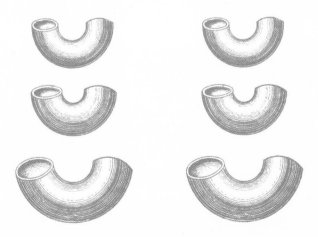

Ingredienti per 4 persone:
Calamari g 500
Gamberetti g 500
1 carota
1 pomodoro
1 piccola cipolla
1 spicchio d'aglio
1 foglia di alloro
1/2 bicchiere di vino bianco,
olio, 1 pizzico di paprica,
1 fettina di limone.

*Z*uppa Rosata

Preparazione:
In una casseruola insieme all'olio fate soffriggere a fuoco basso la cipolla e aglio, prima che prenda il colore unite i calamari che - dopo averli puliti come di consueto, spellati e lavati bene sotto l'acqua corrente - avrete tagliato con le forbici da cucina a striscioline. Fateli insaporire per qualche minuto, poi bagnateli col vino e quando questo sarà evaporato condite con sale, paprica unito alla carota e il pomodoro privo di semi spellato e tagliato a pezzi, ricoprite i calamari d'acqua e lasciateli cuocere per 40 minuti circa. Intanto, a parte, in acqua bollente salata alla quale avrete aggiunto l'alloro e la fettina di limone, cuocete per circa 10 minuti i gamberi appena pronti sgusciateli tritateli finemente passateli al setaccio e unite alla zuppa che a cottura ultimata servirete calda o tiepida con fettine di pane in cassetta tostate prima nel forno e strofinate con uno spicchio di aglio da tutte 2 le parti.
(È un elegante primo piatto per una cena importante, si serve anche freddo).

Nerina, anni 60

PASTE TAGLIATE
PER TAGLIO LUNGO E CORTO

N. 226 m/m 1,8.

N. 227 m/m 2

N. 228 m/m 2,2

N. 229 m/m 2,5

N. 230 m/m 2.8

N. 231 m/m 3

N. 232 m/m 3'2

N. 233 m/m 3,6

N. 234 m/m 4

$\mathcal{B}$ucatini della Lisa

Ingredienti:
Bucatini - Gramignone fresco g 400
Funghi freschi g 250
Burro g 60
Formaggini cremosi 3 o 4
1/2 bicchierino di brandy
1 bicchiere scarso di latte
3 cucchiai di parmigiano grattugiato

Preparazione:
Pulite e affettate i funghi freschi, poi sgocciolateli e insaporiteli con g 10 di burro. Spruzzateli con il brandy e, quando questo sarà evaporato, aggiungete 1/2 mestolo di brodo e lasciateli cuocere lentamente per circa 25 minuti. Fate cuocere la pasta in abbondante acqua salata e, poco prima della fine della cottura, che deve essere al dente, in un tegame largo preparate una crema con il rimanente burro, i formaggini schiacciati, il parmigiano e il latte. Unite i funghi, sale e pepe e mescolando fate amalgamare il composto. Versatevi la pasta al dente, rimestate delicatamente per pochi minuti, finché la salsetta addensata l'avrà ben ricoperta. Servire subito nel piatto di portata che avrete tenuto al caldo.

Lisa, anni 70

Tagliatelle con carciofi

Ingredienti per 10 persone:
Tagliatelle secche g 500
Carciofi medi 10

Preparazione:
Tagliare i carciofi a fettine trasversali soffriggere con aglio e prezzemolo, olio e burro, aggiungere brodo.
Fare la besciamella lenta, 1 tazza grande con panna, 1/2 triangolino di fontina a dadini e parmigiano sale, pepe. Foderare stampo buco con prosciutto cotto, 2-3 carciofi alla giudia con gambo. Cuocere tagliatelle 3 minuti, scolare condire con burro, fare uno strato di tagliatelle, poi carciofi, besciamella e parmigiano e burro, tagliatelle più carciofi in ultimo.

Marisa, anni 80

Maccheroni con melanzane

Ingredienti:
Penne g 500
Melanzane kg 1
Pelati g 500
Aglio, prezzemolo, basilico.

Preparazione:
Tritare tutto con olio e cuocere bene con pomodoro. Tagliare dadi di melanzane e tagliarne a fette 6 a fare acqua. Friggere, asciugare le fette, cuocere maccheroni, poco condire con tutto, foderare stampo con le fette, versare uno strato di maccheroni conditi, coprire con balsamella e parmigiano e ancora maccheroni, no burro.

Marisa, anni 80

Ingredienti per 4 persone:
Riso g 400 (2 pugni a testa)
Zucchine 4
Pomodori pelati 2
mezza cipolla
Burro g 60
o margarina
Brodo 1 litro e mezzo
preparato anche con dadi
Sale e pepe, basilico,
parmigiano grattugiato

Risotto con zucchine
Ingredienti per 4
400 gr di riso 8 p
4 zucchine
2 pomodori
mezza cipolla
60 gr di burro
o margarina
un l e mezzo
di brodo prepa
anche con dadi
e pepe basilico
grattugiato

mettere prima

$\mathscr{R}$isotto con zucchine e pomodori

Preparazione:
In 30 g di burro fate rosolare la cipolla tritata e le zucchine a fettine rotonde; unitevi i pomodori tritati e lasciate cuocere per 1/2 ora circa. Cuocere il riso con il resto del burro, e dopo qualche minuto il brodo caldo poco alla volta rimestando ogni tanto.
Mettere prima i zucchettini.
Quando il riso sarà cotto al dente, toglietelo dal fuoco mescolatevi il parmigiano grattugiato, il basilico tritato e servitelo dopo 5 minuti.

Eda, anni 80

*L*umaconi ripieni

Ingredienti:
Lumaconi "Setàro" g 500 (n. 6 a persona circa)
Spinaci lessati e tritati g 500
Ricotta passata al setaccio g 300
Funghi secchi g 50
Uova n. 2
Panna da cucina
Parmigiano, aglio, burro, olio, marsala, sale.

Preparazione:
Lessate la pasta, scolatela e asciugatela, scartando i lumaconi rotti.
Saltate in una padella con g 20 di burro e uno spicchio d'aglio sbuc-
ciato i funghi, prima rinvenuti in acqua calda, ben lavati e strizzati.
Salateli, cuoceteli per 15 minuti, spruzzandoli ogni tanto con un po'
di marsala, quindi tritateli e uniteli in una terrina agli spinaci, la
ricotta, le uova, il parmigiano e salate.
Riempite i lumaconi e disponeteli in una pirofila imburrata con i fori
rivolti verso l'alto. Fondete in un pentolino g 60 di burro, unite la
panna poi versatela sui lumaconi, cospargendoli infine con abbondante parmigiano grattugiato.
Infornare a 190° per 15 minuti circa.

Anna Maria, 2001

Cannelloni giganti ripieni

Ingredienti:
Cannelloni "Setaro" n. 12
Robiola g 100
Ricotta g 250
Parmigiano g 50
Carote g 150
Piselli g 150
Zucchine g 150

Preparazione:
Lessare le verdure al dente, tagliarle a dadini e asciugarle. Mescolare i formaggi, aggiungere sale, pepe e le verdure.
Lessare al dente i cannelloni, passarli nell'acqua fredda e riempirli con i formaggi. Disporli in una pirofila, condirli con una salsa di pomodoro e olio e mettere 15 minuti in forno.

Anna Maria, 2001

*U*na dinastia al femminile. Una discendenza che si è trasmessa di madre in figlia, quella di Paolo Atti. E il destino volle che, allo stesso modo, si trasmettesse l'eredità del fondatore.

Paolo e Adele, in realtà, ebbero due figli: Armando, classe 1883, e Margherita, nata nel 1885. Entrambi, furono educati come all'epoca usava nelle famiglie abbienti: Armando fu messo in un esclusivo collegio di Firenze, mentre Margherita frequentò le magistrali – cosa niente affatto comune per una signorina di quei tempi – conseguendo il diploma da maestra. E, contemporaneamente, studiò musica, diventando provetta nel suonare il mandolino, sua gran passione, durante le serate che lei, una volta sposata, continuò ad organizzare nella sua casa di via Caprarie. Esattamente come facevano i genitori: come loro, del resto, anche lei amava la vita sociale.

Entrambi, nel primo decennio del Novecento, convolarono a nozze.

Prima Margherita, che il 22 novembre del 1906 fu portata all'altare da Giuseppe Fabbri: un giovane di famiglia abbiente, nipote di quell'Antonio Fabbri, uomo illustre nel mondo musicale a cavallo dei due secoli, noto allora come compositore di musica sacra e maestro di cappella della Metropolitana. Poi, nel 1907 Armando, che sposò la bella Velia, di famiglia nobile decaduta. Ma rimase vedovo ben presto, perché la giovane sposa fu portata via nel '17 dalla tristemente famosa epidemia di spagnola che tante vittime in quegli anni mietè anche nel bolognese.

Fu un matrimonio sontuoso, quello di Margherita, come si addiceva a una giovane di buona famiglia, degno di essere riportato dalle cronache dell'epoca. Nella rubrica 'Nuptialia' dell'Avvenire d'Italia del 23 novembre, infatti, si riferiscono tutti i particolari della cerimonia: *‹Ieri mattina nella chiesa di San Bartolomeo il canonico prof. Don Luigi Fabbri, univa in matrimonio il fratello Giuseppe colla gentile signorina Margherita Atti. I testimoni furono la signora Diomira Bardelli e il signor Paolo Ghelli. Il prof. Don Fabbri rivolse parole affettuose alla giovane coppia. Terminata la cerimonia, agli sposi e agli invitati veniva offerto dal padre della sposa, signor Paolo Atti, una sontuosa colazione nello stabilimento di piazza della Mercanzia 'Zambelli-Atti', a cui prendevano pure parte tutti gli operai dello stabilimento stesso. A questa colazione presero parte circa 200 perso-*

Margherita Atti e il marito Giuseppe Fabbri, con la figlia Paola, nel 1910.

ne. Facevano gli onori di casa la signorina Velia Bardelli, i signori Armando Atti,
Antonio Fabbri, rag.Torquato Bononcini e Giuseppe Zaniboni. Alla frutta brindaro-
no l'on.Pini, testimonio della sposa nell'atto civile, il dottor Busacchi,
l'avv.Valdisserra vice-segretario della Camera di Commercio di Milano, il signor
Zamboni a nome degli operai della ditta Zambelli-Atti, l'operaio Gambaccini e altri.
Agli sposi furono offerti molti bellissimi doni. Mercoledì sera l'atto civile fu registra-
to dall'assessore comm. Vittorio Sanguinetti che offerse loro una penna d'oro.
Poscia ai parenti ed amici dettero un rinfresco nel salone dell'Albergo Tre Re. Alle ore
14.50 gli sposi partirono per la Riviera Ligure>.

Sarebbe stata proprio Margherita, a dare continuità alla discendenza.
Mentre Armando morì senza avere figli, dal matrimonio della sorella con
Fabbri, nel 1908 nacque Paola. Che, a sua volta, avrebbe portato avanti la
discendenza in linea femminile attraverso l'unica figlia: Anna Maria, nata
il 2 giugno del 1936 dal matrimonio con Armando Silvi, e unica erede desi-
gnata della ditta 'Atti'.

Una famiglia in vista.

Margherita, insieme al marito, frequentò il bel mondo. Fabbri era un per-
sonaggio piuttosto noto, nella Bologna di quei tempi: gran viveur e gran
mangiatore (pesava più di 120 chili), era uno dei gaudenti di quegli anni,
come ben mostra la stampa satirica che lo ritrae insieme ad altri notabili
bolognesi dell'epoca in un'originale interpretazione zoomorfa. Ed era un
habituèe dei balli di corte.
Negli anni '20, tutto il primo piano del palazzo al 7 di via Caprarie era adibito a pastificio. Mentre all'ultimo piano abitava la famiglia: Armando e
Margherita, con le famiglie, e la madre Adele.
Quanto all'azienda, Paolo Atti aveva provveduto a dare continuità alla
sua prosperosa attività, fondando la società 'Paolo Atti & Figli'. Erano
loro due, Margherita e Armando, dunque, che badavano all'andamento dei negozi di famiglia. Nel dicembre 1913, Armando Atti *'fabbrican-*
te di paste alimentari', fa richiesta, e la ottiene, di poter utilizzare il bre-
vetto dello stemma reale sul logo della ditta e nel packaging dei prodotti.

La Grande Guerra e gli scioperi. Furono anni critici, quelli a cavallo della I Guerra Mondiale. Lo testimonia, tra i documenti rimasti fino a oggi, una lunga lettera scritta a inchiostro in data 11 agosto 1916 da Antonio Bevilacqua, direttore della ditta 'Atti' al titolare: il signor Armando che, come soldato, era di stanza a Firenze. Soffiano i venti di guerra. Ed è preoccupato, Bevilacqua, quando comunica al datore di lavoro che in aria ci sono scioperi: *<Avrà ricevuto il telegramma in merito allo sciopero....._ riferisce ad Armando Atti _ Ora sembra che i fornai abbiano dichiarato che se scoppierà lo sciopero, non si lasceranno senza pane gli ospedali ed i prigionieri. Oggi dovevano avere un appuntamento col sindaco, ma fino a quest'ora (ore 18 e 30) non se ne sa nulla. Si naviga così nel buio, il peggio è che finora vanno a fare i lieviti (ingannando così il proprietario) ed al mattino non si presentano.....>.*
In atto c'erano, infatti, le rivendicazioni sindacali che agitavano l'Italia bellica e pre-fascista, quando anche il 'Panificio-Pastificio Atti' contribuì ai pacchi per la Croce Rossa. Ad avanzare le richieste di un aumento salariale era il 'Comitato di difesa dell'Arte Bianca', a cui facevano capo le Leghe Fornai e le Leghe Pani di Lusso. E quella minaccia di sciopero di cui riferisce il direttore della ditta 'Atti', fece seguito alla rottura tra i fornai e l'Associazione Proprietari Forno e Pastiera, e alla successiva denuncia dei concordati.

Margherita.
L'impero del pane lasciato da Paolo Atti, negli anni successivi alla sua morte, ricevette non pochi scossoni. Durante la Grande Guerra, infatti, Armando andò sotto le armi e Margherita dovette reggere da sola le sorti dell'azienda. Un impegno non da poco, per lei, reso ancor più gravoso dalla difficile situazione economica dell'Italia di quegli anni.
Perciò, per far fronte agli impegni finanziari, Margherita decise di cedere gran parte delle proprietà di famiglia. Fu costretta a vendere tutto, Margherita: compreso il palazzo di famiglia (che, successivamente, sarebbe stato riacquistato in parte dai discendenti) in via Caprarie, ma salvando l'azienda, che rimase sempre proprietà dei discendenti di Paolo Atti. Inoltre, nel '22 morì Giuseppe Fabbri.

Così, in quell'anno, la vedova Margherita Fabbri Atti, con una figlia a carico, rimane alle redini dell'attività iniziata dal padre, coadiuvata dal fratello Armando, e tiene salda la bandiera dell'arte bianca conservando le attività di via Caprarie e Drapperie e il panificio al numero 4 di piazza XX Settembre. Una semplice rivendita, quest'ultima, di cui molti anni dopo la famiglia avrebbe deciso di disfarsi per concentrare la propria attività nel centro storico.

Nel 1937, a soli 54 anni, morì anche Armando per un attacco di cuore. Era giunto il momento di rimboccarsi le maniche, per Margherita che, più tardi, sarebbe stata validamente affiancata dalla figlia Paola. Da signora di buona famiglia tutta dedita ai ricevimenti e al pianoforte, Margherita divenne una donna imprenditrice ante litteram. Uno dei primissimi esempi tra le bolognesi. Un caso raro di certo, dato che nei costumi di allora , non era contemplato che una giovane di ceto elevato potesse dedicarsi a un'attività lavorativa.

Margherita era una donna bellissima e intraprendente, e in questo assomigliava a suo padre. Quando rimase vedova, aveva 37 anni. E molti problemi da risolvere. A Bologna, era una delle signore più in vista, ma dopo la morte del marito limitò la vita mondana. Continuò invece a dedicarsi alla sua passione di sempre, il teatro. E le piaceva molto ricevere nel suo salotto, che diventò un punto di riferimento per attori e poeti dialettali. Margherita era una donna brillante, ma anche una gran lavoratrice. Come fu per suo padre e, dopo, per i suoi discendenti, era tutta casa e bottega. Anche lei, infatti, abitava proprio sopra il negozio, al numero 5 di via Caprarie, nel palazzo adiacente a quello fatto costruire da Paolo Atti, e da lui acquisito in tempi successivi alla costruzione del precedente.

Al piano di sopra, aveva l'ufficio per la contabilità e la sua abitazione. E, attraverso un 'usciolino' che comunicava direttamente con il negozio, era solita fare continue incursioni per verificare come stavano andando le cose. Seguiva, insomma, in prima persona l'andamento della ditta. Ed era sempre lei che si occupava della gestione dei dipendenti. Insomma, era una donna di polso e dotata di una certa personalità. Ma che, certo, non trascurava la propria femminilità ed era sempre elegantissima.

Armando Atti

Le commesse di "Paolo Atti & Figli" nel 1910
(sopra) e nel 1928 (sotto).
La decana fu Dina Pellini che ha prestato servizio
nel negozio dal 1926 al 1962.

Le commesse. C'è tutto un mondo che è andato perduto, attorno alla storia della famiglia Atti, e a quella dei loro negozi.

Curiosa, per esempio, era la procedura con cui, per tanti anni, si reperiva il personale per i negozi 'Atti'.

Margherita ricordava come, una volta, prima del secondo conflitto, sotto le Due Torri ci fosse una latteria che impiegava ragazze giovani pagandole po' che niente. Dopo che queste avevano fatto una certa esperienza, Margherita selezionava le migliori per sé, e le mandava a farsi le ossa nella rivendita di piazza XX Settembre. Solo una volta che una ragazza dimostrava una certa abilità nel lavoro e si poteva considerare una commessa finita, allora veniva spostata in uno dei due negozi del centro, in via Caprarie o Drapperie.

Ma diverse volte è accaduto, ricordano in famiglia, che le commesse diventassero talmente brave, da licenziarsi e mettersi in proprio aprendo una loro attività.

A quel punto, la trafila cominciava da capo. Tra quelle che rimanevano, le più anziane talvolta venivano poi impiegate da Margherita e da Paola a servire in casa.

La Dina. E' stata una delle più fedeli commesse di 'Atti': ha lavorato per la ditta per 36 anni, dal 1926 al 1962. Ricorda la Dina che, nel '26, Armando e Margherita si dividevano i compiti di gestione: il primo si occupava della produzione, mentre la sorella teneva dietro all'andamento dei tre negozi in via Caprarie, Drapperie e piazza XX Settembre, che all'epoca i dipendenti e i clienti chiamavano il negozio 'di Galliera'. A quell'epoca Paola, allora una ragazza, stava già alla cassa di via Caprarie. Nel '26 non c'era ancora il laboratorio di pasticceria. E la famiglia Atti-Fabbri, che aveva da poco venduto il palazzo al n.7, viveva allora in via Drapperie 6. Per trasferirsi l'anno successivo al numero 5 di via Caprarie. Ricorda, Dina Pellini, che a quel tempo nello scantinato di via Drapperie, sotto il cui pavimento scorre il torrente Aposa, erano in funzione due forni di moderna tecnologia, per quegli anni. Era, quella, l'epoca d'oro dei 'biassanot'. L'anziana ex commessa di 'Atti', ricorda come il centro storico fosse animato fino alle prime ore del mattino. C'era la fila, verso le tre di notte, davanti al forno di via Drapperie per i 'kaiser', le rosette appena sfornate che un commesso di nome Petronio a quell'ora dava fuori. E i gaudenti della Bologna di notte, insieme al pane usavano ancora comperare le pere cotte da quei venditori ambulanti chiamati 'peracottai', che sono riportati anche sulle tavole del Mitelli.

Un altro aneddoto che riguarda il forno di via Drapperie, e che viene riportato anche dall'autore dialettale Mario Bianconi in un suo libro, riguarda una scenetta che, a quanto pare, si ripeteva tutte le notti tra un fornaio di 'Atti' in via Drapperie e un 'biassanot', che viene tuttora raccontato da Romano Bonaga, marito di Anna Maria, come <Quall ch'dà la piga ai Kipfel>. Spiegato alla lettera, il detto indica il fornaio che dà la curva ai gustosi panini indicati con tale nome e inventati, a quanto sembra, durante l'assedio di Vienna nel XVI secolo da parte dei Turchi. Astutamente gli assediati, allo stremo delle forze, confezionarono con l'ultima farina rimasta dei panini a forma di mezzaluna – i Kipfel, appunto – e li gettarono sui Turchi assedianti. Questi, impressionati da tanta abbondanza, tolsero l'assedio e si ritirarono. Tornando a Bologna, il detto si usa verso chi si dà arie d'importanza per cose da nulla, ed ebbe origine proprio da quella famosa scenetta che si ripeteva da 'Atti' ogni notte. Il 'biassanot', appunto, attraverso una 'buffa' (come erano chiamate le botole con le inferriate da cui prendevano aria le cantine) lo apostrofava dalla strada a mo' di sfottò: <Èl lò qual ch'dà la piga ai chifel?>. Quel che saliva dalla botola, lo si può immaginare.

In quegli stessi anni Margherita, appassionata di teatro e dotata di un certo estro, amava decorare le vetrine del negozio di via Caprarie in modo originale. Ed esponeva i dolciumi e le specialità del forno inserendole in vere e proprie scenografie, soprattutto in occasione delle principali ricorrenze. Ricorda, la Dina, che negli anni prima del secondo conflitto il negozio 'Atti' servì il re Vittorio Emanuele III, nel periodo in cui soggiornò a Sasso Marconi, dove era di stanza per gli esercizi militari. E mandava il suo cuoco personale in centro a Bologna, a fare la spesa da 'Atti', per il pane, la pasta e, in particolare, per i tortellini di cui – si dice – andava pazzo. Ma

tra i clienti 'vip' che regolarmente si servivano alla rivendita di via
Caprarie, la Dina ricorda ancora lo schivo Giorgio Morandi e la princi-
pessa Colonna Gregorini, che a quel tempo aveva un podere a San Luca.
In Caprarie, allora, c'era il laboratorio della pasta con gli essiccatoi per i
tortellini e quelli per la pasta di semola, che veniva prodotta con i torchi.
Un bel numero di scatole venivano spedite nel meridione. Ma ben presto,
Margherita venne a sapere – inorridendo, da buona bolognese - che, al
sud, i tortellini, non li consumavano in brodo come si usa da noi, ma addi-
rittura li facevano fritti!

Sfogline al lavoro. Negli anni '30, nei laboratori dietro il negozio di via
Caprarie, c'erano ben 30 sfogline che tiravano la pasta. E ogni giorno da
'Atti', si produceva un quintale di tortellini. A tenere a bada tutte quelle
donne, in un primo tempo, era l'anziana zia Elisa: una delle sorelle di Paolo
Atti, vedova e senza figli, che visse a lungo con Margherita. Il problema
principale, era che le sfogline non mangiassero il ripieno dei tortellini men-
tre li confezionavano.
Dopo la morte della zia, nel 1936, ci pensava Margherita a tenerle in riga.
E le faceva cantare a tutto spiano, per evitare loro le tentazioni del palato.
Si trattava, nella maggior parte dei casi, di donne di vita che, per raggiun-
ti limiti di età, cercavano un'altra occupazione.Nel Pastificio 'Atti' erano
impiegate a tirar la sfoglia e chiudere i tortellini.
A quei tempi, gli orari di negozio andavano dalle 7 alle 13 e dalle 15.30 alle
20. Ma, ricorda la Dina, dal momento che c'era poi da mettere a posto e da
sistemare tutto per la mattina successiva, non si andava a casa mai prima
delle 21. Tuttavia quell'ora in più rispetto all'orario di lavoro, non veniva
certo riconosciuta come straordinario. Così, erano i tempi.

Le imprenditrici bolognesi degli anni '30.
Margherita era un'autentica donna imprenditrice, una pioniera, quando i
costumi delle signore della società-bene al pari suo esigevano che si limi-
tassero a badare alla famiglia e a sovraintendere alla casa, curando la vita
sociale. Ma la figlia di Paolo Atti era di ben altra stoffa.

E, a Bologna, in quegli anni, le donne in affari sono pochissime. Insieme a lei, si ricordano la Nina Castaldini, titolare dell'omonima e storica ferramenta, Gilberta Minganti della dinastia delle 'Officine Minganti', e Teresa Viola, titolare di un famoso bar-pasticceria in via Ugo Bassi, rinomato per l'ottimo caffè e il cioccolato che produceva in proprio, e che allora andava per la maggiore: il 'Viola'.

Proprio Margherita, fu una delle prime 'capitane d'azienda' a capire l'importanza di essere presente alle fiere di settore.

Così, all'alba della seconda guerra, la ditta 'Atti' partecipò alla prima fiera alla Montagnola, con un'esposizione dei prodotti e delle delikatessen della casa.

Due donne sole al comando. Margherita fu, per tanti anni, l'anima autentica della ditta. Più tardi fu affiancata da Paola, che ricevette una buona educazione, facendo gli studi in una scuola privata - il convitto 'Ungarelli' di piazza Aldrovandi - così come si addiceva alle signorine di buona famiglia. Paola si sposò nel 1930 e, a quel tempo, aveva già iniziato a lavorare in negozio, alla cassa di via Caprarie. Sposò Armando Silvi, che aveva una sartoria da uomo proprio all'angolo tra via d'Azeglio e piazza Maggiore. Il 2 giugno 1936 nascerà Anna Maria.

Dopo il matrimonio, Paola lascerà la sua postazione alla cassa del negozio di Caprarie, per aiutare la madre nell'amministrazione della ditta.

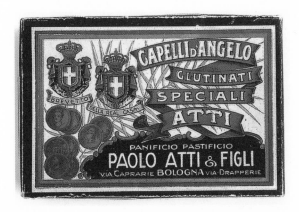

Un'esposizione dei prodotti della casa alla fiera della Montagnola prima della seconda guerra mondiale.

Pietanze

rrosto Duchessa della Berta

Ingredienti:
Lombo di maiale g 500
Prosciutto cotto g 150
Mortadella g 150
Ricotta g 400
Forma g 150
Burro g 100
Panna da montare g 250
Uova n 4
Prosciutto crudo g 200 circa

Preparazione:
Tritare il lombo crudo, il prosciutto cotto, la mortadella, unire i rossi, la forma, la ricotta e impastare bene; unire le chiare montate. Formare un polpettone con le mani bagnate; avvolgerlo nelle fette di prosciutto crudo, mettere in una pirofila col burro e la panna; mettere in forno a 120° per circa 1 ora. Irrorare con il suo sugo.

Berta, anni 20

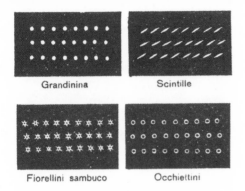

Grandinina   Scintille

Fiorellini sambuco   Occhiettini

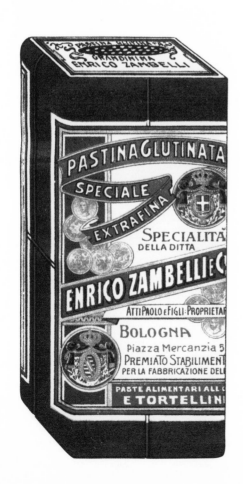

Questa pastina è raccomandata per bambini e persone malate contenendo in poco volume la maggiore quantità di sostanze nutritive glutinate.

Rotolo pieno

Ingredienti:
Una bella fetta vitello tenero rettangolare g 300
Lombo di maiale o vitello g 200
Uova 2
Parmigiano a piacimento

Preparazione:
Una mollica di pane bagnata nel latte e ben strizzata, un po' di panna ben asciutta e dura, passare il lombo 3 volte per la macchina da pestare pulendo bene il magro da tutti i nervi, si cuoce con olio e burro molto adagio, si tira a cottura con brodo e latte, si serve caldo. Per cuocere ci vuole circa un'ora e mezzo.

Margherita, anni 20

$\mathcal{B}$udino di emmenthal salato

Ingredienti per 4 persone:
Emmenthal g 150
Besciamella 4 uova, le chiare montate a parte poi unite alla besciamella coi relativi tuorli, sale, pepe.

Preparazione:
Al tutto aggiungere il formaggio grattuggiato. Ungere lo stampo con burro e pane, versare il composto e cuocerlo per un'ora a bagno maria fuoco sopra. Servirlo subito.

Margherita, anni 20

— Cotolette di Ricotta —

Dose = Ricotta gr 300
sale
pepe
noce moscata
parmigiano gr 25
prezzemolo tritato
uova 2
farina bianca un po'
pane grattugiato
olio per friggere

Mettere in zuppiera gr 300 ricotta, salare
aggiungere un pizzico di pepe, uno di
noce moscata, 25 gr. parmigiano grattug.
1 cucchiaio di prezzemolo tritato,
un uovo intero più un rosso.
Mescolare bene il tutto.
(se del caso aggiungere un po' di
pane grattato).
Fare delle piccole pallottoline, ricop.
di farina bianca, poi di uovo sbattuto,
e di pan grattato.
Schiacciare con le mani a forma di
Cotoletta ogni pallina. Friggere in ol.
sistemare sul piatto di portata e serv.

*C*otolette di ricotta

Ingredienti:
Ricotta g 300
Sale, pepe
Noce moscata
Parmigiano g 25
Prezzemolo tritato
Uova 2
Farina bianca un po'
Pane grattugiato
Olio per friggere

Preparazione:
Mettere in zuppiera g 300 ricotta, salare, aggiungere un pizzico di pepe, uno di noce moscata, 25 g parmigiano grattugiato, 1 cucchiaio di prezzemolo tritato, un uovo intero più un rosso. Mescolare bene il tutto (se é il caso aggiungere un po' di pane grattato). Fare delle piccole pallottoline, ricoprire di farina bianca, poi di uovo sbattuto e di pan grattato.
Schiacciare con le mani a forma di cotoletta ogni pallina. Friggere in olio, sistemare sul piatto di portata e servire.

Paolina, anni 20

 ifreddo dell'Ersilia

Ingredienti:
Vitello di latte g 150
Petto di pollo g 130
Prosciutto grasso e magro g 50
Burro g 30
Parmigiano g 20
Uova 3
Un pizzico di sale, un pezzetto di pane imbevuto nel latte, 3 cucchiai di besciamella

Preparazione:
Pestare finissimo, impastare il tutto mettere in uno stampo e cuocere a bagno maria fino a quando non si stacca dallo stampo. Foderare lo stampo con carta pergamena.

Ersilia, anni 30

Pollo Delizia

Ingredienti:
Pollo (petto di pollo)
Uova
Margarina (o burro)
Formaggio Emmental
Prosciutto cotto
Brodo

Preparazione:
Tagliare a pezzi il pollo (petto), pelare, snervare. Infarinare, passare in ovo sbattuto e dorare in margarina (o burro). A cottura ultimata coprire con fette di emmental e prosciutto cotto a dadini, e versare alcuni cucchiai di brodo, mettere in forno oppure sul fuoco lento.

Paolina, anni 30

PASTINE GLUTINATE ALL'OVO

32. Grandrnina

33. Grandine

34. Lenticchia

35. Crocette

36. Cuoricini

37. Fiori di Sambuco

38. Astri

39. Stellettine

40. Stellette

41. Stellette bucate

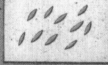
42. Puntine

43. Fusellini

44. Punte

45. Grana riso

46. Semette

47. Corallini piccoli

48. Corallini

49. Esagoni

50. Occhi di Pernice

51. Primierina

52. Seme di mela

53. Punte grosse

54. Saette

55. Mezze lune

56. Cuori

57. Tubettini

58. Tubetti

59. Noccioline

60. Nocciolette

61. Nocciole

62. Dentini

63. Denti

64. Denti pecorini

65. Ave Maria

66. Cappette

67. Parigini

68. Anelle

69. Stelle veneri

70. Dentellate

71. Anelle quadre

72. Ditali quadri

73. Tre buchi

74. Pesci

75. Galletti

76. Pennine

Rifreddo nel pentolino

Ingredienti:
8 fettine di vitello sottile larghe come il pentolino
7 fettine di prosciutto affettato sottile
7 di mortadella sottile
7 uova
un poco di forma

Preparazione:
Mettere una fetta di vitello, un uovo, il prosciutto, la mortadella e poco di forma e poi un uovo, il vitello, prosciutto e mortadella e forma. Farlo cuocere a bagno maria per 2 ore poi toglierlo dal tegame finché è caldo pressarlo fra due piatti e metterci un peso sopra. Si prepara il giorno prima di servirlo. Questa dose basta per 8 persone, calare un uovo perché viene troppo pieno e non si cuoce bene. Basta per 12 persone, vitello 9 fette.

Margherita, anni 30

Cotolette ripiene

Ingredienti:
1 fetta abbondante sottile e larga di vitello per ogni cotoletta e una fetta di prosciutto.

Preparazione:
Fare a parte una besciamella ben condita. Poi stendere su ogni cotoletta per metà la besciamella e per l'altra metà il prosciutto. Quindi piegare le cotolette come un panino imbottito. Bagnare nell'uovo sbattuto e impanare e poi friggere come le normali cotolette.

Paolina, anni 30

Cotolette di uova in camicia

Ingredienti:
1 fetta abbondante e magra di prosciutto per ogni uovo.

Preparazione:
Cuocere le uova in camicia, fasciarle nella fetta di prosciutto e bagnarle nell'uovo sbattuto e impanarle, come le comuni cotolette. Friggere come le comuni cotolette.

Paolina, anni 30

Quagliette con carciofi

Preparazione:
Fare un trito con pancetta, pepe, burro. Tagliare a spicchi i carciofi, spalmarli con questo impasto, avvolgerli in fettine di carne e legarli. Far rosolare con burro e olio, cipolla, rosmarino e aggiungere salsa di pomodoro. Cuocere per circa mezz'ora.

Marta, anni 40

Sformatini di uova al prosciutto

Ingredienti:
Prosciutto, burro, uova, crostini di pane

Preparazione:
Si imburrano stampi a forma di bicchierino, e si foderano con prosciutto. Si rompe in ogni stampo 1 uovo intero. Cuocere a bagno maria, non troppo forte, badando che l'acqua sia un dito al disotto dell'orlo degli stampi. Quando le uova si saranno rapprese, sformarle su di un crostino di pane, una per fetta.

Paolina, anni 40

Ingredienti per 4 persone
Gamberetti kg 1,200,
una foglia d'alloro,
1 pezzetto di cipolla,
1 gambo di sedano,
una fettina di limone e sale.

Per la salsa:
1 tuorlo d'uovo,
g 130 olio,
1 cucchiaio di salsa rubra
1 cucchiaio di Worcester
Sauce,
1 cucchiaio d'aceto,
panna liquida,
paprica.

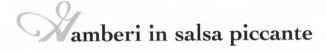amberi in salsa piccante

Preparazione:
Lessate i gamberi per circa 10 minuti in acqua bollente salata alla quale avrete unito l'alloro, un pezzetto di cipolla, il sedano e la fettina di limone. Appena pronti lasciateli raffreddare completamente, sgusciateli e passateli in una terrina.

Intanto preparate la maionese in una tazza, mettete un tuorlo e fate una maionese piuttosto soda, aggiungete il succo del limone, l'aceto e la salsa rubra e la salsa Worchester, sale, un pizzico di paprica e tanta panna liquida quanta ne occorre per rendere la salsa piuttosto fluida. Versatela sopra ai gamberetti mescolate bene coprite e mettete al fresco per circa un'ora. Per guarnizione del piatto fettine di cetriolo fresco o un gambero non condito (darà tono alla cena).

Tosca, anni 50

Fettone scanello con cipolle

Ingredienti:
1 fettone g 800 o kg 1
Cipolle 2 o 3 grandi uguali
non troppo grosse

Preparazione:
Stendere il fettone mettere al centro le cipolle arrotolare legare bene, metterlo in un tegame con acqua coperto mezzo bicchiere normale di aceto, salarlo prima dentro e fuori. Cuocerlo coperto cottura ore 3, l'acqua deve consumarsi tutta, in ultimo lasciarlo scoperto per consumare l'acqua. Prima che si consumi l'acqua del tutto metterci l'olio d'oliva per farlo rosolare un po', non molto se no diventa secco. Ultima volta fatto 2 fette da 0,800 g l'una dentro 4 cipolle non grandi, ogni fetta aceto forte 2 dita di 1 bicchiere, bollito dalle 8,30 alle 12,45, basta per 10 persone come siamo sempre compreso i bambini.

Paola, anni 50

*C*otolette San Remo

Ingredienti:
Vitello kg 1,200
Prosciutto cotto g 300
Emmental g 300
Funghi secchi g 100
Puré
Besciamella

Preparazione:
Stendere in una pirofila un poco di puré poi una fetta di vitello cotto sopra prosciutto formaggio e besciamella nei buchi un mucchietto di funghi. È bene mettere i funghi in ultima perché stando dentro al forno molto diventano neri. Questa dose basta per 12 persone.
La besciamella vuole lenta e poca per potere coprire i mucchietti.
Il contorno può essere variato: fagiolini, piselli, carciofi al burro.

Paola, anni 50

Cefali con cipolla

Cefali con cipolla pomodoro, limone, pepe, sale e vino bianco.
Sulla ruola fette di una cipolla, sopra i cefali sopra i pomodori e fette
di limone, sale, pepe e vino bianco per fondo ruola e al forno 20
minuti un poco di vino perché i cefali si cuociano.

Nerina, anni 60

Fagiano della Tosca

Prendere un bel fagiano tenero, pulirlo e lavarlo molto bene poi si
mette a bagno con acqua e limone. Preparare 2 carote, 2 gambi di
sedano e mezza cipolla pestarli e in un tegame con 3/4 di birra mettere a bagno per tutta la notte il fagiano salato con dentro al fagiano
un rametto di rosmarino poi si prende il fagiano dalla marinata e si
fa rosolare in una casseruola con olio e burro in fretta e poi si rimette nella marinata e si lascia cuocere assieme alla birra e odori. Cotta
che sia si taglia pezzi e si rimette per scaldare negli odori passati, si
copre bene il fagiano e si porta in tavola.

Tosca, anni 60

Tortino di vitello e mortadella

Ingredienti per 8 persone:
Vitello in due fette kg 1,200 (600+600)
Mortadella a fette n. 7 g 250
Besciamella
Rossi d'uovo 2
Forma, salvia

Preparazione:
Cuocere prima le due fette ben battute e sottili, facendo asciugare l'acqua. Preparare una besciamella lenta con un bel po' di forma e due rossi.
Mettere dei pezzetti di burro in una ruola, stendere una fetta di carne, fare uno strato di mortadella, aggiungere burro, qualche foglia di salvia e coprire di besciamella. Mettere sopra ancora il vitello, la mortadella e la besciamella per ultima. Mettere allora nel forno a fuoco bassissimo per circa 30 minuti facendo colorire la superficie.

Anna Maria, anni 60

*P*olli all'americana

Si mettono in fusione col sugo di un limone, rosmarino, uno spicchio d'aglio, olio 2 tazzine, sale quanto basta. Contorno cipolline, patate, peperoni rossi, verdi e gialli. Si mettono in fusione alla sera per farli il giorno dopo. Al momento di metterli a cuocere, mettere in una ruola con subito assieme la verdura. Cottura ore 1,30 circa. Se il limone avesse poco sugo metterne 2.

Norina, anni 60

AL PAN SÒTT
AL FA I BÍ POTT!
CON QUEL DRÌ,
AI FA ANC PIO BI......
(ANONIMO BOLOGNESE)

Ingredienti:
Vitello passato per la macchina
3 volte g 600
Forma circa g120
Uova se grosse (g 70 l'una) 4
oppure se piccole 5 e anche 6
Sale poco

*P*alla vitello

Preparazione:
Fare la palla ben pressata con le mani bagnate di acqua, metterla sul fuoco in un tegame un po' stretto e alto coprirla di acqua che deve bollire scoperta perché deve asciugarsi tutta l'acqua, la palla va messa nell'acqua quando l'acqua è calda. Spremere 2 limoni metterci dell'olio metà semi e metà oliva unire pure il sugo rimasto della palla. Mescolare insieme e quando la palla è fredda metterla in fusione in una vaschetta dove stia coperta il più possibile col sugo fatto. Il giorno dopo voltarla dall'altra parte, così sta in fusione da tutte e due i lati. Il giorno dopo si può affettare e metterci sopra il sugo ben mescolato (cioè olio limone e il sugo fitto rimasto nel tegame dove si è cotta la palla) affettarla un po' grossettina. Guarnirla con carciofini aperti a rotelline, olive e, se si vuole, altri sottoaceti.

Paola, anni 60

*P*ollo fritto della Maria

Tagliare a pezzetti il pollo metterlo in un succo di limone mettere il pollo in una scolatoia, lasciarlo sgocciolare. Mettere in una terrina delle uova con un bel po' di forma lasciare a bagno 2 o 3 ore prendere su dall'uovo e poi mettere nella farina e friggere nell'olio i pezzetti, preparare un brodo di dadi mettere i pezzi e lasciare cuocere adagio piano piano.

Maria, anni 80

*L*ombo arrosto

Ingredienti:
Vitello da arrosto kg 1
Prosciutto g 100
1 cipolla grossa

Preparazione:
Affettare la cipolla mettere nel forno con carne, olio, burro, sale, pepe, prosciutto cuocere 2 ore. Passare la cipolla + panna, succo limone + sugo arrosto. Versare su arrosto a fette.

Marisa, anni 80

Bistecche di filetto al Madera

Affettare una cipolla e due carote e due gambi prezzemolo, soffriggere adagio con burro. Mettere le bistecche avvolte con pancetta e fermate con uno stecchino cuocere sia da una parte che dall'altra aggiungere odore di timo e maggiorana e per ultimo il Madera.

Anna Maria, anni 80

Rotolo di frittata

Ingredienti:
Uova n. 6, prosciutto cotto 2 etti, sottilette e maionese

Preparazione:
Fare una bella frittata sottile sopra alla frittata (non moltissima) il prosciutto cotto e sopra le sottilette, fare un bel rotolo metterlo in una carta stagnola e nel frigorifero, fare delle fettine o anche intero. farlo il giorno prima. Questo piatto è freddo.

Maria, anni 70

*F*riggione della Maria

Ingredienti:
Pomodori tondi molto maturi kg 2
Cipolle bianche kg 1
Olio di semi, sale, dado di carne

Preparazione:
Pelare i pomodori, tagliarli a pezzi e metterli a bollire adagio unendo un dado. Intanto, mettere a friggere a fuoco lento la cipolla tagliata a fettine con olio di semi, in modo da non farla attaccare al fondo del tegame. Quando la cipolla diventa trasparente, toglierla e unirla – insieme al suo sugo – al pomodoro, che deve essere ben addensato. Lasciare bollire adagio per circa un'altra mezz'ora, fino a quando il friggione diventa molto denso.
Servire ben caldo col suo sugo.

Se si vuole servire il friggione come secondo piatto, aggiungere – una volta unito il sugo di pomodoro – alcuni tocchetti di carne di manzo lessati. Quindi far cuocere ancora fino a preparazione ulti-mata.

Maria, anni 30

$\mathcal{M}$usetto in galera

Ingredienti:
Una fetta di fesa di vitello g 600 circa
Un cotechino g 400 circa
Uova n. 1
Forma g 30
Pane grattugiato

Preparazione:
Cuocere il cotechino per 2 ore - 2 ore e mezza. Poi levarlo dall'acqua
e pelarlo. Battere leggermente il vitello badando di non fare buchi,
poi ungerlo da una parte con poco burro. Rompere in una zuppiera
tre uova intere e batterle con una forchetta come per fare la frittata;
aggiungere sale, pepe, la forma, 2 cucchiaiate di pane e il prezzemolo tritato. Il composto deve avere la consistenza di un purè. Versatelo
allora sulla fetta di carne stendendolo bene, poi mettere nel mezzo il
cotechino e fasciarlo colla fetta di carne, badando a non fare uscire il
composto di uova. Cucire il polpettone con un filo e legarlo bene.
Farlo rosolare adagio in un po' di olio e burro bagnandolo col vino.

Anna Maria, anni 60

Margherita Atti.

I **l pane di guerra.** Durante la seconda guerra mondiale, anche a Bologna la farina bianca non si setacciava più, e al forno 'Atti', come negli altri forni cittadini, si doveva preparare il pane nero, con la segala - crusca.

In quale clima i fornai dovessero lavorare a quei tempi, lo si intuisce da una notizia apparsa sull'Avvenire d'Italia del 26 ottobre 1940, che titola 'Gravi ammende a fornai per infrazioni alla panificazione'. *<In seguito ad accertamenti disposti _ è la notizia del quotidiano _ sono stati dichiarati in contravvenzione alle norme sulla panificazione per avere prodotto pane con farina bianca, cioè non abburattata all'85 per cento, e colpiti con gravi ammende i fornai: Paolo Atti e Figli di via Caprarie 7, Bernardo Perin di piazza Malpighi 7 e Claudio Filippi di via Orefici 9>*.

Quanto alla pasta, in tempo di guerra si confezionava per lo più la pasta corta, mentre la pasta lunga come gli spaghetti, arrivavano dal meridione. L'azienda 'Atti' in quegli anni, com'è ovvio, si trovò in grave difficoltà. La farina si doveva comprare al mercato nero, e il pane lo si doveva vendere a prezzo fisso. E anche da 'Atti', negli anni dell'occupazione, così come agli altri fornai in città, fioccavano le disposizioni dal parte del comando tedesco. Così, in data 21 dicembre 1944, l'Ufficio Cereali comunica, come si legge in un avviso arrivato al panificio di via Caprarie *<che il Militaerverwaltungsgruppe ha autorizzato il prelevamento dal Molino A. Tamburi di San Giovanni in Persiceto di q.li 2000 di farina per pane da ritirarsi nella misura di q.li 200 al giorno e per un periodo di dieci giorni a mezzo autocarro della Wermacht disposto dalla Ditta Enzo Seragnoli. Tale farina è destinata quale scorta per i forni della città.... Il suddetto quantitativo verrà depositato nei magazzini dei seguenti forni: Lambertini Umberto (q.li 400), Cazzoli Egisto (q.li 300), Zanetti Dante (q.li 300), Grandi Ettore (q.li 200), Atti Paolo (q.li 200), Fogli Renato (q.li 100), Mancini Giuseppe (q.li 100), Molino Frino (q.li 400)>*. Sempre in merito all'assegnazione della farina, le disposizioni piovevano una dopo l'altra. In un altro comunicato della Sezione Provinciale Alimentazione, in data 8 febbraio 1945, si ordina: *<Vi informiamo che dal Molino A. Tamburi di San Giovanni in Persiceto vi saranno consegnati q.li 180 di farina per pane all'88%. Tale quantitativo andrà in sostituzione di altrettanti quintali di farina all'80% già in deposito*

presso di Voi e che verranno utilizzati per produzione di pasta secca da distribuirsi alla popolazione tesserata. Qualora codesto panificio non abbia impinato per pastificazione, distribuirà alla popolazione farina in luogo di pasta>.

E non mancavano le requisizioni dei locali, come testimonia un'altra disposizione, sempre da parte della Sezione provinciale dell'alimentazione, partita il 24 gennaio 1945, nella fase più cruciale del conflitto, e indirizzato alla signora Margherita Atti in via Drapperie 6: *<Vi preghiamo _ si dice _ di voler mettere a disposizione della Ditta Paolo Atti e Figli di Bologna il vostro locale-magazzino di via Caprarie 7 per costituirvi una scorta di farina per pane da tenere a disposizione di questa Sezione>.*

L'Occupazione. E' così che Margherita e Paola, alla guida dei negozi, si trovano ad affrontare il tragico periodo del secondo conflitto. Ma il forno, nonostante il grave frangente, fece di tutto per aiutare chi ne aveva bisogno. Fornendo viveri agli stranieri privi della tessera annonaria e ai partigiani. E cercando di aiutare chi non ce la faceva più ad andare avanti e non aveva di che mangiare. In più, le due donne di casa 'Atti' si trovarono ad affrontare momenti di grande tensione. Spesso in negozio si presentavano uomini armati, pretendendo viveri. Toccava alle due donne, dunque, in quei casi, assecondare con diplomazia quelle richieste fatte con l'uso della forza. In ballo c'era la loro sopravvivenza, quella dei negozi e dei dipendenti.

Spesso si trattava - negli anni in cui l'Italia era vessata dalla guerra civile - di tedeschi e di repubblichini, che entravano nel negozio di via Caprarie puntando le armi addosso a Paola, che stava alla cassa, e intimando di consegnare pane e viveri. Ma altre volte erano partigiani, che talvolta trovavano rifugio, nella più assoluta omertà di chi stava in negozio, negli scantinati di via Drapperie. Negli anni della guerra, il negozio fu più volte requisito. Per Margherita e Paola, l'obiettivo era unicamente quello di portare avanti l'attività dell'azienda e di traghettarla fuori da quel tragico periodo, verso tempi migliori.

I rischi che allora corse la famiglia, furono altissimi. Capitò più di una volta, infatti, che mentre i partigiani si nascondevano nel seminterrato

Paola Fabbri.

(dove era stato allestito un rifugio anti-aereo), sopra ci fossero i tedeschi armati.

Per fortuna, però, Margherita e Paola e tutta la famiglia, superarono la guerra senza conseguenze irreparabili Ma tutta questa situazione, fece inevitabilmente crollare l'economia dell'azienda.

Due bombe inesplose. Per il negozio 'Atti' di via Caprarie, il periodo del secondo conflitto non passò, però, senza lasciare il segno. Fra il luglio del 1943 e l'aprile del 1945 Bologna fu il bersaglio di ripetuti e devastanti bombardamenti degli Alleati, che misero in ginocchio la popolazione civile distruggendo interi quartieri cittadini.

Nel 1943, nel momento della recrudescenza della guerra anche in territorio bolognese, durante uno dei più gravi bombardamenti della città, un grappolo di bombe cadde proprio sull'obiettivo di piazza della Mercanzia. Era il 2 settembre quando tre bombe furono lanciate in prossimità delle Due Torri: una cadde vicino al Palazzo della Mercanzia, una andò a finire nei sotterranei del negozio 'Atti' di via Caprarie, e un'altra cadde a pochi metri di distanza, all'altezza del negozio di tessuti 'La Convenienza'.

A quanto si racconta, la bomba cadde proprio dentro le vasche in muratura dove era stato messo l'impasto del pane a lievitare. E fu rinvenuta, con grande stupore e paura, dai fornai che si accingevano a fare il loro lavoro. Ci fu panico, in quei momenti. Furono chiamati immediatamente i militari perché provvedessero a disinnescarla. Si decise di rimuoverla, usando un metodo empirico, dato che non vi erano altri mezzi disponibili. I soldati, mentre Margherita e Paola erano col fiato sospeso e la piccola Anna Maria stava a guardare a bocca aperta, issarono la bomba dai sotterranei facendo uso di funi. E furono messi dei materassi sui gradini per portarla fino in strada. Una piccola folla, intanto, si era assiepata per assistere all'operazione.

Un altro dei tre ordigni, invece, purtroppo danneggiò gravemente il negozio di via Caprarie, mandando in macerie le vetrine e gli splendidi specchi Liberty, che andarono irrimediabilmente perduti a causa di quell'evento. Si salvarono, invece, i pregiati arredi in legno, risalenti alla stessa epoca, gli affreschi sul soffitto opera del Corazza, detto 'Curazeina', e gli splendidi lampadari Liberty tuttora visibili nel negozio.

Anche in questo caso si trattava di una bomba inesplosa, che il comando tedesco decise di far brillare in piena piazza della Mercanzia, a due passi dal forno 'Atti'. L'esplosione provocò il crollo di un'arcata del Palazzo della Mercanzia e, per lo spostamento d'aria, saltarono anche i pavimenti del palazzo fatto costruire da Paolo Atti, al numero 7 di Caprarie, dove risiedeva Paola, insieme al marito Armando e alla figlia Anna Maria, che furono costretti a trovare alloggio nel laboratorio dei tortellini, in mezzo alle macchine della pasta. Infatti, erano rientrati in città da poco, dopo essere sfollati nella loro casa di San Luca - tuttora di proprietà della famiglia - dopo che questa era stata requisita dal comando tedesco. I danni causati da quella bomba furono ingenti e la rivendita rimase chiusa un anno e mezzo. Riaprì solo nel 1946.

Contorni

*P*iatto di verdura

Ingredienti:
Spinaci,
carciofi (vanno messi nel limone e cotti con olio e acqua)
besciamella e ragù

Preparazione:
Si mette in un piatto uno strato di spinaci tirati al burro, si fanno cuocere i carciofi in bel centro con un poco di gambo, si dispongono attorno il piatto sopra agli spinaci, si fa una palla di besciamella con un buco al centro dove ci si introduce il ragù, si copre ancora con besciamella, si impana con uovo e pane, si friggono le palle e si dispongono nel centro del vassoio.

Adele, fine 800

$\mathcal{T}$ortino di carciofi

Ingredienti:
Carciofi 10
Uova 3

Preparazione:
Fare un pesto di cipolla, sedano, prezzemolo. Metterlo a cuocere con olio e burro. Tagliare i carciofi fino al centro, fare 8 pezzetti per ogni carciofo e farli cuocere per 1 ora assieme agli odori, bagnare una grossa mollica di pane nel latte e mescolare al tutto, salare e pepare per ultimo. Si prende una tortiera imburrata, si compone il tortino mettendoci sopra pane grattugiato e si lascia cuocere in forno per mezz'ora.

Nerina, anni 30

$\mathcal{S}$ formato di carciofi dell'Anna Maria

Ingredienti:
Carciofi 8

Preparazione:
Si lessano e si tirano con burro e parmigiano e passano col passaverdura. Si unisce una besciamella molto densa di 2 cucchiai colmi di
farina uova 4 intere fresche, sale e pepe. Si fodera uno stampo col
buco di fette di prosciutto magro e si cuoce a bagno maria prima sul
fornello poi nel corno. Nella besciamella ci va un bel po' di forma.
Cuocere per circa mezz'ora sul fornello e circa mezz'ora al forno.

Anna Maria, anni 60

$\mathcal{I}$ nsalata di funghi tartufi e formaggio

Prendere funghi coltivati non molto grossi tagliarli con il taglio della
triffola. Tagliare la triffola sottile come i funghi, infine sempre
col taglino tagliare il formaggio (sbrinz o parmigiano), condire il
tutto con olio, limone, sale e un poco di pepe. È buonissimo come
antipasto.

Paola, anni 50

*P*iatto di zucchine e prosciutto cotto

Zucchine tagliate rotonde e fatte cuocere con burro. Fare una buona besciamella e del prosciutto cotto
Mettere in un piatto resistente al forno le zucchine cotte sopra un poco di besciamella, poi il prosciutto cotto ancora besciamella e messo al forno facendo diventare un poco rosa la besciamella. Si serve calda.

Nerina, anni 50

*M*elanzane alla Bolognese

Pelare le melanzane a fette giuste, salarle e metterle a sgocciolare, poi dorarle e friggerle. Preparare un intingolo di pomodoro, burro o olio, spicchio d'aglio, basilico che dopo si leva, poi sale, pepe, cotolette alla milanese di vitello sottile. Preparare capperi, olive verdi pestate fini, acciughe per chi piace, mortadella affettata fine, poi formaggio parmigiano. Un mescolo di sugo nel tegame, poi si mette uno strato di melanzane fritte, uno strato di olive, formaggio grattugiato.

Paola, anni 60

Uno scorcio del negozio di via Caprarie all'inizio
degli anni '50.

Margherita in primo piano insieme ai dipendenti in
occasione degli Addobbi del 1957.
Dietro si riconoscono Paola e Armando Silvi e
Romano Bonaga.

La ripresa degli anni '50 e il boom economico

*T*empi difficili. La ripresa, come fu per tutte le attività economiche in quel periodo, non fu facile. Erano gli anni della ricostruzione, e le attività economiche pian piano si stavano risollevando dai danni e dalle tante difficoltà arrecate dalla guerra. Anche la ditta 'Atti' non era esente da questi problemi. Era uscita dal periodo del conflitto in ginocchio. C'erano dei debiti da sanare, bisognava provvedere a ristrutturare il negozio di via Caprarie, danneggiato dalle bombe, e rinnovare macchinari e forni. Bisognava darsi da fare per dare nuovo impulso al commercio dopo tutte quelle restrizioni dovute all'autarchia e all'emergenza bellica.

In più, proprio in quegli anni, Margherita, che fino ad allora aveva retto le sorti della ditta, ebbe un grave problema di salute. Per una banale ferita che aveva fatto infezione ed era stata malcurata, nel 1947 dovette subire l'amputazione di una gamba. E trascorse quasi l'intero anno all'ospedale 'Codivilla' di Cortina d'Ampezzo. Ancora una volta, come era già stato in passato, fu una donna della famiglia, a doversi occupare 'in toto' della gestione della ditta. Fu Paola, la figlia di Margherita, che in quel frangente prese le redini dell'attività. Il marito Armando, del resto, era impegnato nella sua professione di sarto, e non poteva certo assumersi l'incarico di occuparsi a tempo pieno anche degli affari della moglie.

Ma le difficoltà, appunto, erano tante. Troppe, per una donna sola in una congiuntura ardua e di esito incerto come quella. Fu così che in quello stesso anno, Paola, presa dallo scoraggiamento, d'accordo con il marito arrivò alla decisione di vendere tutto.

Una decisione difficile da prendere, certo, ma che in quel momento sembrava inevitabile. Così, decisero di andare a Cortina per comunicare i loro propositi a Margherita, che nel frattempo era in convalescenza. La figlia di Paolo Atti, a quella notizia, non potè trattenere le lacrime. E si mise a piangere disperatamente. Non riusciva a farsi una ragione che tutto ciò che aveva costruito suo padre e che lei stessa, con tanti sacrifici, aveva portato avanti superando anche i terribili momenti di due guerre, potesse andare definitivamente perduto.

Sembrava davvero che non ci fosse una via d'uscita. Ma di fronte a quella disperazione senza limiti, fu proprio Armando Silvi, il genero, che risolse la situazione. E decise di risanare l'azienda di tasca sua, investendo il proprio capitale.

Così, i negozi 'Paolo Atti & Figli' – in via Caprarie, Drapperie e quello di piazza XX Settembre – poterono proseguire la loro attività, anche se faticosamente nei primi tempi, sotto la guida di Paola. E anche Margherita, che già aveva dimostrato di essere donna di forte tempra e personalità, anche in quell'occasione, non si fece certo scoraggiare dalla sorte che le era toccata. E, nonostante avesse subìto una grave menomazione fisica, quando rientrò in città, nel '48, continuò a darsi da fare nell'azienda come, del resto, aveva sempre fatto nella sua vita. Nonostante avesse una protesi e dovesse muoversi col bastone. Continuava a scendere in negozio e nei laboratori dove si confezionavano i tortellini a controllare come andavano le cose. E avrebbe continuato a seguire personalmente l'andamento della ditta fino alla sua morte, avvenuta nel 1965.

Fornai in sciopero. La ripresa costò non pochi sforzi e sacrifici ai discendenti di Paolo Atti. Il momento più critico che dovette affrontare Paola, fu nel 1954. Nell'estate di quell'anno, infatti, i lavoratori panettieri proclamarono uno sciopero a oltranza che coinvolse la città di Bologna, rivendicando aumenti salariali e modifiche della normativa allora vigente.

Quell'astensione dal lavoro in massa, che ebbe inizio il 9 giugno, rientrava nel clima delle feroci rivendicazioni sindacali dei lavoratori in quegli anni, quando anche le maniere forti erano all'ordine del giorno. E in quell'occasione si assistette a un braccio di ferro tra i titolari dei forni e gli operai, ovvero tra i panificatori e i panettieri. Infatti, i primi avevano deciso di resistere, a loro volta, a oltranza. E di non cedere a quelle nuove richieste di natura salariale, dal momento che molte delle rivendicazioni che argomentavano, ai panettieri bolognesi erano già state concesse nel 1953.

Perciò l'Associazione Panificatori prese posizione contro questo sciopero, destinato a rientrare 42 giorni dopo, quando i fornai tornarono al lavoro alle condizioni salariali precedenti.

Così, insomma, andavano le cose, nell'estate del '54: i panettieri avevano incrociato le braccia e nella gran parte dei forni bolognesi non si faceva più

pane. Il frangente, ovviamente, fu critico per tutti. Ma da 'Atti', in particolare, non si sapeva come affrontare quello 'stop' forzato, che rischiava di
mandare a monte gli sforzi fatti negli anni precedenti per risanare l'azienda. I titolari di molti altri forni cittadini, infatti, riuscivano bene o male a
sostituire la manodopera in sciopero rimboccandosi le maniche, e metten-
dosi loro stessi a fare il pane. Un lavoro che Paola, certo, e nessun altro
della famiglia, aveva mai fatto ed era minimamente in grado di fare. Ma lei,
con un po' di inventiva e di astuzia, riuscì ugualmente a trovare una solu-
zione a quell'emergenza. E per farlo, fece ricorso a modi un po' garibaldi-
ni. Così, nottetempo e di nascosto, Paola accompagnata dal magazziere e
dall'autista, andava a prendere con l'auto qualche operaio panettiere con
cui si era precedentemente accordata, per portarlo in via Drapperie. In
tempo per infornare il pane prima delle 4 del mattino, orario in cui inizia-
vano i picchetti degli scioperanti. Così, questo andirivieni di Paola per
andare a prendere e riaccompagnare a casa loro i fornai ingaggiati di stra-
foro, andò avanti per 42 giorni.
Ma fu proprio grazie alla sua abnegazione, che 'Atti' potè continuare la sua
normale attività di vendita. Vantando, anche in questo caso, un primato
che non ha mai perduto nel corso della sua storia: quello di non aver mai
lasciato i cittadini senza il pane.

Ricevimenti in casa. Negli anni '50, Anna Maria era una ragazzina. E oggi
ricorda ancora i ricevimenti della mamma e della nonna. Margherita, infatti, adorava ancora ricevere in casa sua, al n.5 di via Caprarie. Questi
appuntamenti si tenevano di prammatica la domenica pomeriggio. Invitava
regolarmente le sue amiche, che viaggiavano come lei sulla settantina, e
persino la sua insegnante delle magistrali che aveva quasi novant'anni. Tra
le presenze fisse, poi, non mancavano mai gli attori e i poeti dialettali, come
Mario Bianconi e Giuseppe Giordani, il 'pastaio-poeta'. E, in quelle occasioni, la nonna, tra un pasticcino e una fetta di torta, non rinunciava a suonare il mandolino.
Anche Paola, dal canto suo, era solita accogliere le amiche in casa per i tè
pomeridiani durante i giorni feriali. Un'usanza, questa, del tutto normale a

quei tempi, in cui l'emancipazione femminile doveva ancora fare parecchia strada, e molte donne, specie nei ceti più abbienti, si dedicava alla famiglia e alla gestione domestica.

Quei ricevimenti, rammenta Anna Maria, comportavano dei veri e propri rituali di galateo domestico. I tè con le amiche, infatti, erano degli autentici banchetti: ulteriore esempio di come, nelle case bolognesi, le relazioni sociali siano sempre state unite all'aspetto conviviale, a cui si dava sempre una certa importanza. Insomma, ricevere, per una signora bolognese della buona società come Paola Silvi, significava fare onore agli ospiti con cibi e delizie in abbondanza: persino a metà pomeriggio.

Così, rievoca Anna Maria, che in quelle occasioni dava una mano alla madre, verso le 16 la tavola veniva apparecchiata di tutto punto. Poi, tra una chiacchiera e l'altra, venivano serviti il tè e le spremute, accompagnati da dolci, pasticcini e torte salate di ogni sorta, realizzati nella cucina di casa con le ricette di famiglia: quelle ricette trascritte nei quadernini con la copertina nera che, da Adele in poi, le donne di casa Atti hanno sempre conservato gelosamente e tramandato di madre in figlia. La padrona di casa, inoltre, ogni volta prendeva nota in un quadernino apposito degli invitati e del menù servito in quella data, onde evitare repliche nelle occasioni successive.

La zia Nerina: una bolognese 'doc'. E' da annoverare a buon diritto tra le donne di casa Atti. E, come loro - e forse ancor di più - incarnava quello spirito petroniano estroverso e gaudente per cui vanno famose le donne bolognesi. Era una zia 'acquisita', Nerina Frabboni Silvi, dal momento che era la moglie di un fratello di Armando, papà di Anna Maria. Lei, per la cucina, nutriva un'autentica passione. Tant'è vero che raccoglieva e collezionava ricette, per poi fare 'scambi culturali' con la cognata Paola.

La Nerina era una dama del bel mondo. Dunque, aveva accesso alle case e alle tavole-bene di Bologna, e di conseguenza la possibilità di provare in prima persona una molteplicità di piatti, attingendo parecchie ispirazioni sul versante gastronomico. Da buona bolognese, infatti, adorava stare ai fornelli. Dove, ugualmente, sapeva esprimere il buon gusto per cui era

1959: Margherita Atti riceve un riconoscimento da Guido Cazzoli, presidente dell'Associazione Panificatori della provincia di Bologna e dal segretario Antonio Ventura.

1954: da sinistra la giovane Anna Maria con la nonna Margherita e la mamma Paola.

Nerina Silvi

apprezzata in famiglia, dove viene ricordata come una grande ricercatrice e sperimentatrice di tante delizie del palato. Per questo, nel patrimonio delle ricette di casa Atti, ricorre spesso il nome della zia Nerina.

Anna Maria e Romano: un'alleanza gastronomica. Il 17 giugno 1956 l'unica figlia di Paola, la ventenne Anna Maria, dopo un breve fidanzamento si sposò con Romano Bonaga, discendente di un'altra dinastia storica bolognese dell'alimentazione: quella dei Tamburini, che hanno il negozio a pochi passi dai negozi 'Atti', in via Caprarie 1. Tra le ditte 'Atti' e 'Tamburini', del resto, da tempo intercorrevano anche scambi commerciali. Per un curioso caso, o forse per l'affinità elettiva che legava le due aziende, in quello stesso anno tre commesse di 'Paolo Atti & Figli', convolarono a nozze con tre commessi dell'Antica Salsamenteria Tamburini. Anna Maria e Romano vollero unirsi in matrimonio in S.Maria della Vita, nel cuore del Quadrilatero, e fare festa con tutti i commercianti. Dopo la cerimonia, a siglare questa singolare 'alleanza gastronomica' (allora, girava la battuta che Anna Maria e Romano, sposandosi, avevano fatto un 'panino') venne offerto un pranzo a cui parteciparono tutti i dipendenti di 'Atti' e di 'Tamburini'. Romano, laureato in economia e commercio, allora svolgeva la professione di commercialista e insegnava ragioneria all'Istituto tecnico 'Marconi'. E, nello stesso tempo, seguiva l'amministrazione della ditta degli zii, i fratelli Ferdinando e Angelo Tamburini. Ma dopo il matrimonio, iniziò subito ad occuparsi di 'Atti', coadiuvando Paola e Margherita a tempo pieno.

Pane & pasta fanno 'boom'. Dalla fine degli anni '50, per 'Atti' iniziarono di nuovo i tempi d'oro. Erano gli anni del 'boom' economico e l'azienda produceva e vendeva pane, pasta e pasticceria a pieno ritmo sotto la guida di Romano Bonaga, che si occupava dell'amministrazione e del marketing. Mentre le donne di casa si prendevano cura dei rapporti col pubblico. Si continuò a produrre e a commercializzare la pasta fresca in confezione fino al 1967. In quell'anno, però, a seguito della legge 580 che proibiva la vendita di pasta secca sfusa, 'Atti' abbandonò la produzione di pasta di

Anna Maria e Romano Bonaga nel 1970.

Romano Bonaga riceve l'insegna di cavaliere dal presidente nazionale dei panificatori Savino Bracco.

semola per concentrare tutte le energie nella produzione di pasta fresca e pasta ripiena sfusa.

Una nuova svolta generazionale

Negli anni '60, avviene un altro cambio della guardia ai vertici di 'Atti'. Nel 1965 muore Margherita. E, a colei che aveva retto le sorti della ditta per oltre quarant'anni, vengono tributate solenni esequie funebri. Come fu per suo padre Paolo, anche per lei ci furono le onoranze da parte degli operai della ditta, che vollero portare a spalla la bara dalla casa di via Caprarie alla Chiesa di San Bartolomeo, dove erano state celebrate le sue nozze e le esequie funebri di suo padre. La figlia Paola, dal canto suo, aveva pagato a caro prezzo gli stress e le tensioni patite in tanti momenti della sua vita e la sua salute era rimasta fragile. Per questo, in azienda, lei stava soprattutto in ufficio. Durante quegli anni, il ruolo di Romano Bonaga ai vertici dell'azienda diventerà sempre più significativo. Dal suo matrimonio con Anna Maria, nascono cinque figli: Rita, Chiara, Gilberto, Paolo e Francesco. Impegnata tra maternità e svezzamenti, dunque, Anna Maria negli anni '60 ha solo un ruolo defilato. Ma, dal '70 - quando il marito ha iniziato ad essere sempre più impegnato in incarichi di un certo rilievo (dal 1970 è presidente dell'Associazione Panificatori della Provincia di Bologna e vice-presidente della Banca Popolare) – ha assunto stabilmente, insieme a lui, il timone dell'azienda. Così come, da sempre, si conviene a una donna di casa Atti.

La Madonna della Lbertà patrona dei panificatori di Bologna.

Creme e salse

$\mathcal{S}$alsa di menta

Tritare grosso un poco di menta, metterlo in una tazza con un bicchiere scarso di aceto, 1/2 bicchiere di acqua, 2 cucchiai di zucchero, lasciarlo stare per 1/2 ora e poi metterlo in una salsiera.

Adele, fine 800

$\mathcal{S}$alsa alla beccaccia

Si prende ogni sorta di verdura, 2 acciughe, 2 uccelli e un po' di fegato. Farli cuocere insieme alla verdura con burro e pinoli. Cotto si passi tutto al setaccio e si aggiunge un cucchiaino di farina e si allunga l'intingolo con un cucchiaino di marsala, si fa cuocere per 10 minuti e si serve come salsa (si può anche fare per ricoprire un pollo arrosto).

Margherita, anni 10

Falsa salsa maionese

Ingredienti:
Burro g 20 Farina 2 cucchiaini

Preparazione:
Fare arrosolare la farina nel burro, mettere 2 ramaioli di brodo (di pesce se si mangia col pesce) o 2 ramaioli di brodo (se si mangia con altre cose) aggiungere 2 cucchiai di olio e mezzo limone e un rosso d'uovo, l'aglio è bene metterlo appena tolto dal fuoco aggiungendo rosso d'uovo e limone.

Peppina, anni 20

Una buona salsa per lo zampone

Ingredienti:
3 uova olio e tonno

Preparazione:
Si lavora bene uova, olio e ci si aggiunge il tonno, passarlo per il passaverdura.

Nerina, anni 40

$\mathcal{S}$alsa verde bolognese

Ingredienti:
Prezzemolo g 200
Capperi g 10
Cetrioli sottaceto g 20
Uovo sodo n. 1
Filetti di acciughe n. 4
Metà limone
Olio d'oliva

Preparazione:
Pulire e lavare i prezzemoli, poi tritarli bene con il coltello insieme ai capperi, acciughe, cetriolini e l'uovo sodo. Diluire con il sugo di limone e l'olio e servire a temperatura ambiente per accompagnare i bolliti bolognesi.

Eda, anni 50

Pastina Glutinata Zambelli
eccellente al brodo

Paolo Atti & Figli
BOLOGNA

TORTELLINI ZAMBELLI BOLOGNA
ESPORTAZIONE
CASA FONDATA NEL 1865

GIUSEPPE PUPAZZONI
N°......
SENIGALLIA

Sig Marulli

I nostri prodotti sono tutti garantiti all'analisi chimica

LIT. HOVERI BOLOGNA

12 DIC 1913

♭ N 10 Bott⁶ Pilleg: £	6	50
Meno vuoti		50
£	6	00

S coppia la regalo-manìa. Nel 1970, il mercato è euforico. Con il diffuso benessere economico, la gente si lascia andare agli acquisti e, tra gli usi e costumi dell'epoca, prende piede la moda delle ceste-regalo. Proprio per questo motivo, in quell'anno, si decide di utilizzare i locali - sempre di proprietà della famiglia - adiacenti al negozio di via Caprarie, che fino a quel momento erano stati ceduti in affitto a un negozio di scarpe. C'era bisogno, in realtà, di nuovo spazio, per adibirlo a 'show room' delle confezioni regalo e all'esposizione dei prodotti. Scoppia, infatti, la moda delle confezioni 'all inclusive', che molto spesso – così come richiedevano allora i bolognesi – sono lussuose e arricchite con dovizia. A quel tempo, infatti, nelle occasioni importanti e per le ricorrenze, le aziende e i privati usava curare le relazioni pubbliche facendo doni di questa portata. Così, da 'Atti', questo è il tempo delle ceste-dono di lusso che, oltre al certosino e alla pasticceria della casa, comprendono vini e liquori, e persino pezzi di argenteria e ogni tipo di cadeaux personalizzato. La realizzazione di queste presentazioni, che erano sempre di grande effetto, si doveva all'estro e alla creatività di Anna Maria.

Questa euforia andrà avanti per diversi anni. Salvo qualche momento di calo, durante l'Austerity e gli 'Anni di piombo', la richiesta per questa tipologia di merce proseguirà ininterrottamente fino agli '90, quando i negozi al dettaglio cominciano a subire pesantemente la concorrenza della grande distribuzione. Con Tangentopoli, infine, anche il mercato dei pacchi-regalo subirà una brusca battuta d'arresto.

La battaglia contro gli additivi chimici. Nel 1977, Romano Bonaga, si fece paladino di un'importante battaglia alla testa dell'Associazione Panificatori della Provincia di Bologna. Tutto ebbe origine dalla tendenza, che si stava sviluppando a quel tempo, a fare il pane con l'ausilio di semilavorati a base di sfarinati e additivi chimici vari, come l'E 472 e l'E 300.

Si trattava dell'inizio di un vero e proprio 'business' a opera di grosse industrie e importatori, che aveva preso subito piede in molti forni italiani. I panificatori bolognesi, con in testa Romano Bonaga, si schierarono subito contro l'utilizzo di quelle sostanze che, inevitabilmente, avrebbero por-

Atti

BOLOGNA

CASA FONDATA NEL 1880

VIA CAPRARIE 7 - TELEF. 051/2204?

VIA DRAPPERIE 6 - TELEF. 051/2333?

il nostro pane è senza additivi chimici

tato alla standardizzazione del pane e dei prodotti da forno, e al declino dell'artigianato del pane. Ma, soprattutto, erano fermamente convinti che gli additivi chimici sono prodotti assolutamente inutili, dal punto di vista tecnico. Bonaga, del resto, ha sempre sottolineato che <il pane si produce magnificamente bene anche senza additivi chimici>. Inoltre, si diffuse subito il sospetto che, dal punto di vista organolettico, tali sostanze potessero nuocere alla salute.

Per questo, grazie all'Associazione Panificatori, proprio da Bologna iniziò una veemente campagna nazionale di sensibilizzazione contro gli additivi chimici nel pane. Il risultato? Quello di indurre molti panificatori professionali a non farsi sedurre da questi nuovi preparati di derivazione industriale. Per questo, da quella volta, chi aderisce a questa 'filosofia della panificazione', a Bologna espone il logo 'La Bottega del Fornaio'. A segnalare che, in quella bottega, il pane si fa in modo tradizionale: con acqua e farina, lievito, con o senza sale. La crociata del 'pane pulito' è ancora più significativa oggi, che la normativa in materia è cambiata. La legge 580 del 1967, infatti, indicava tassativamente quali dovessero essere gli ingredienti della panificazione. Ora, invece, il DPR n.502 del 30-11-'98, emanato in conformità alle direttive comunitarie, consente di utilizzare nel pane molti additivi e ogni tipo di ingredienti.

Marketing 'fai-da-te'. Quei biglietti hanno accompagnato passo passo gli ultimi quarant'anni della ditta 'Atti'. Molti si saranno chiesti chi mai fosse l'autore di quelle frasi, trascritte a mano col pennarello blu, e messe in vetrina in bella vista, per invogliare all'acquisto di quel dolce o quella pasta. Il prolifico autore di quegli aforismi, di quelle frasi argute – non di rado ispirate all'attualità - è lo stesso Romano Bonaga. E' sua, la convinzione che la gente, passando frettolosamente e soffermandosi davanti alle vetrine di via Caprarie e Drapperie, leggendo quelle frasette comprenda meglio – magari con un sorriso - le prerogative dei prodotti 'Atti'. Sono frasi scritte in italiano o in dialetto petroniano, con l'obiettivo di catturare il passante. E mettono in evidenza lo spirito tipicamente petroniano del loro autore, oltre a mettere in evidenza una 'bolognesità' che appartiene al patrimonio culturale di questa città. Quella dei biglietti, infatti, era un'usanza tipica del commercio nella Bologna di una volta.

La stessa Margherita Atti, si cimentava nell'invenzione di frasi ad effetto per i cartellini da mettere in vetrina. E i bolognesi ricorderanno anche <Tinti>, in via Caduti di Cefalonia, che con le sue frasette sul filo dell'ironia, attirava i clienti nel suo negozio di chincaglieria.

Si tratta, dunque, di una forma di réclame molto originale, nell'era della comunicazione telematica, e la testimonianza di una Bologna – quella delle botteghe - che va scomparendo.

Così, per reclamizzare gli ombelichi di Venere, 'Atti' suggerisce: <*I tortellini 'vostri' per ingannare i mariti*>; oppure: <*Per Natale i tortellini! La dieta...dopo!*>. Ma anche per i passatelli, a Pasqua, il concetto non cambia, e il cartello recita ammiccante: <I passatelli, minestra pasquale. Migliori dei vostri....>.

Si ammicca, poi, al potenziale avventore, rivolgendosi a lui direttamente. Gli si chiede, in dialetto, se per caso è goloso, per proporgli in quel caso, una specialità della casa: <*It louv? Lupo di cioccolata*>. Oppure, l'autore anonimo si rivolge ai potenziali clienti con qualche buon suggerimento: <*Già Carnevale?.....sfrappole? Almeno un segno a tavola!*>.

Ma anche la rima dialettale, tradizione delle réclame petroniane, da Atti tiene banco tuttora: <*Al pan sòtt al fa i bì pott! Con quel drì, al fa anc piò bi... (Anonimo bolognese)*>.

Delikatessen gastronomiche. Ridimensionata la stagione delle confezioni-regalo di lusso e con l'incalzare della grande distribuzione, anche lo storico negozio di Paolo Atti deve adeguarsi ulteriormente ai tempi che cambiano. Per questo, nel '91, apre il reparto di gastronomia che viene accolto nel locale del negozio adiacente, precedentemente adibito a show room delle idee-regalo, e che ora, buttando giù il muro divisorio, viene a far parte integrante della rivendita di via Caprarie. Si intuisce, infatti, che questo tipo di servizio sarà sempre più apprezzato, specie dalle donne che lavorano. Lo spirito della nuova produzione, è quello di rivolgersi al pubblico dei single, delle coppie che lavorano e delle signore con poco tempo a disposizione che, servendosi da 'Atti', possono organizzare un'intera cena per gli amici a casa loro, vantandosi pure di avere cucinato personalmente. In linea con la 'filosofia' dell'azienda, anche per questa nuova specializzazione, si persegue l'obiettivo il duplice obiettivo della genuinità e della qualità. Tra le specialità, figurano una serie di piatti che traggono ispirazione proprio dalle ricette di casa: crepes, lasagne, timballi di pasta e di verdure, galantina, rifreddo, faraona ripiena, lombo nel latte o all'arancio, pathè di fegato, tacchino farcito, anitra ripiena, sformati di verdure e torte di formaggio.

Dolci e gelati

Cioccolatini di mandorle

Ingredienti:
Cioccolata in polvere g 100
Mandorle pelate e tritate fine 100

Preparazione:
Impastate tutto con 2 cucchiai di liquore, se occorre mettete un po'
d'acqua. Fate delle palline ed avvolgetele in zucchero. Mettetele in
cestini di carta. Ne vengono circa 30 per dose.

Adele, fine 800

Torta di riso

Torta dose per 3 litri di latte:
Latte litri 3
Riso g 300
Candito g 100
Vaniglia g 100
Zucchero g 450
Uova 12
Mandorle dolci g 270
Mandorle amare g 30
Sale g 10
Limone 1

Preparazione:
Cucinare il riso nel latte con la buccia del limone, il sale, e un po' di zucchero (3 o 4 cucchiai). Quando il riso è cotto, stemperarlo e lasciarlo raffreddare e aggiungere il candito, le mandorle pestate, lo zucchero, la vaniglia e le uova un po' battute, rimescolare bene l'impasto levando la buccia del limone e poi versarlo in una ruola unta con pane grattugiato.

Adele, fine 800

Crema semplice

Ingredienti:
Latte g 800
Zucchero g 600
Tuorli d'uovo 4

Preparazione:
Si stempera i tuorli nello zucchero e nel latte scaldato a 60°C operando a bagno maria, indi si scalda il bagno fino ad ebollizione, continuando fino a resistenza molle.

Adele, fine 800

Crema fiori d'arancio

Latte fresco g 320
Acqua fiori d'arancio g 10
Zucchero g 40
Rossi d'uovo 4

Adele, fine 800

olce di amaretti

Ingredienti:
Amaretti g 200
Zucchero a velo g 100
Burro g 200
Savoiardi g 200 circa
Panna montata g 100
Rossi d'uovo n. 1

Preparazione:
Montare burro e zucchero, poi aggiungere i rossi, gli amaretti schiacciati col mattarello e quindi la panna. Aggiungere poi 2 cucchiai di liquore forte e fare la camicia coi savoiardi e coprire il dolce. Mettere in frigorifero per circa una notte. Sformarlo e coprirlo con 150 grammi di panna e qualche candito. Farlo in una ruola e offrire in uno stampo.

Margherita, anni 50

*P*esche al limone

Ingredienti:
Pesche gialle "spicche" kg. 1
Cucchiai di zucchero n. 4
Limoni n. 2

Preparazione:
Lavorare bene le pesche, metterle in una casseruola coperte appena appena d'acqua, farle bollire per 15 minuti, poi lasciarle raffreddare. Una volta fredde, aprirle a metà stando sopra una zuppiera fonda per raccogliere il sugo che può sfuggire. Togliere i noccioli e la pelle e disporle nella zuppiera. Cospargerle quindi di zucchero e del loro sugo, poi unire il sugo dei limoni, coprirle con un piatto e metterle in frigo. Servire freddo.

Paola, anni 50

*D*olce di mascarpone

Ingredienti:
Mascarpone g 100
Uova intere n. 1
Savoiardi n. 1 cucchiaio

Preparazione:
Lavorare per 15 minuti i rossi, lo zucchero e il mascarpone. Unire in ultimo le chiare montate a neve. Foderare uno stampo senza buco coi savoiardi tagliati a metà e inzuppati di liquore, versare la crema precedentemente ottenuta, ricoprire di savoiardi e, infine, mettere in ghiaccio.
La dose con 600 grammi di mascarpone basta per 12 persone.

Nerina, anni 60

Torrone di fichi

Pelare i fichi lasciandoli interi e seccarli al sole infilandoli in uno stecco di vimini (il fico vuole grosso) finché sono appassiti, poi si tengono chiusi in una farina 1 giorno o due. Poi si fa come una stoffa coi fichi dividendoli prima ma non interamente e levando la punta. Poi si stende sui fichi polvere di cannella, degli anici, polvere di cioccolato, strisce quadrate di cedro, cannelline di cioccolata e mandorle pelate e tostate bene messe in fila. Poi si arrotola stretto e si lega poi si avvolge di foglie alloro e si lega e si rimette asciugare per 2 o 3 giorni al sole poi si avvolge ancora in una foglia di fico e si lega poi si rimette all'aria. Quando si mangiano si levano tutte le foglie esterne.

Velia, anni 10

Torta di mandorle

Ingredienti:
Mandorle e pinoli g 200
Ricotta g 300
Zucchero g 300
Latte g 100
Uova n. 4
Rossi d'ovo n. 2
Limone grattugiato

Preparazione:
Passare la ricotta al setaccio, unire metà dello zucchero e il latte. Tostare le mandorle e pestarle fine assieme ai pinoli e unire al resto. Sbattere bene le uova e unire al tutto. Versare nella teglia unta e infarinata.
Una volta cotta, bagnare con liquore Cointreau.
Nell'impasto aggiungere 50 grammi di cedro.

Paolina, anni 50

Dolce Angelo

Ingredienti:
Savoiardi g 300
Cioccolato nocciolato g 150
Amaretti g 100
Zucchero a velo g 150
Burro g 150
Rossi d'ovo n.6

Preparazione:
Lavorare molto bene il burro e lo zucchero, poi i rossi d'ovo e infine gli amaretti pestati finissimi e il cioccolato a piccoli pezzi. Foderare uno stampo, meglio una cassettina, con i savoiardi tagliati a metà e imbevuti di liquore. Una volta sfornato si ricopre con una salsa di cioccolato e caffè.
Non farlo gelare troppo.

Nerina, anni 50

Budino cioccolato Francesco

Ingredienti:
Zucchero g 200
Maizena g 120
Cioccolato fondente g 150
Burro g 45
Uova n. 4
Latte l 1

Preparazione:
Fondere il cioccolato con un po' di latte, aggiungere lo zucchero, la maizena, il burro, i rossi e il latte. Sul fuoco sempre mescolando finché il composto si rapprende si disfano i balocchi. Versare nello stampo da budino unto di olio di semi e mettere in frigo.

Anna Maria, anni 80

Straccaganascie

Ingredienti:
Fiore g 360
Zucchero g 360
Mandorle intere pelate g 360
5 chiare montate

Preparazione:
Si mescola il tutto, si fatto tanti bastoncini e si tagliano come i gnocchi forno dolce.

Margherita, anni 30

$\mathcal{D}$olce cioccolata e mandorle

Ingredienti:
Burro g 100
Cioccolata g 100
Zucchero a velo g 100
Mandorle dolci g 100
Uova 4

Preparazione:
Lavorare per 30 minuti burro, cioccolato e zucchero unendovi le mandorle e i rossi uno alla volta e in ultimo le chiare montate. Si deve mettere sopra il ghiaccio fin dal giorno prima di servirlo, 2 dose e mezzo bastano per 12 persone, bagnare lo stampo con cognac e servirlo ricoperto di panna montata.

Paola, anni 30

Torta di datteri della Marta

Ingredienti:
Mandorle g 150
Datteri g 150
Zucchero a velo g 150
Chiare uovo 5

Preparazione:
Battere a neve le chiare, unire i datteri a pezzetti, le mandorle mari-
nate, lo zucchero e in ultimo le chiare a neve. Quando è cotta, a freddo, farcirla e ricoprirla di panna montata.

Marta, anni 30

Crema Letizia

Si preparano g 500 di castagne, lesse, sbucciate, passate allo staccio
a parte si fa una tazza di crema (1 tuorlo d'uovo, 2 cucchiai di zucchero e latte a sufficienza) profumata alla pasta di nocciola. Si unisce
tutto con sufficiente zucchero da formare una crema consistente e si
dispone in coppette alle quali si aggiunge un ciuffo di panna montata. Si guarnisce con ciliegie allo spirito.

Margherita, anni 40

Dolce autarchico

Ingredienti:
Carote gialle g 250 (solo l'esterno)
Mandorle g 250
1 scorza di limone
Passare tutto alla macchina
Uova intere 3
Zucchero g 200

Preparazione:
Battere bene questi due ingredienti e unirvi una bustina di baking e tutto il resto. Mettere in teglia unta per 3 quarti d'ora a forno dolce.

Marta, anni 40

*D*olce tipo fiordilatte con limone

Ingredienti:
Uova intere 7
Il sugo di 3 limoni e mezzo
7 bicchierini di un buon Alchermes
Zucchero g 230

Preparazione:
Il tutto in un recipiente compreso le uova intere (non battute), lasciando in infusione per 3 ore avendo cura ogni tanto di mescolare. Quindi battere per 20 minuti con la frusta passare per il setaccio e mettere in uno stampo con camicia di zucchero bruciato. Cotto a bagno maria come si fa per il fiordilatte normale.

Margherita, anni 50

$\mathcal{M}$ousse al cioccolato

Ingredienti:
Cioccolato fondente g125
Burro g 125
Uova intere n. 3

Preparazione:
Fondere il cioccolato con due cucchiai d'acqua. Aggiungere il burro e farlo sciogliere dolcemente, quindi togliere dal fuoco e aggiungere tre rossi d'uovo. Quando il composto è freddo, unire le tre chiare montate a neve. Versare poi la crema in un recipiente di portata e mettere nel frigo per qualche ora.
Guarnire a piacere prima di servire.

Rita, anni 90

Ingredienti:
Uova 5
Il peso di 3 uova di farina
Il peso di 5 uova di zucchero
Burro o strutto g 80
Dose per 1/2 chilo Baking
Aranci belli 4

Torta d'arancio

Preparazione:
Si battono bene le uova intere poi vi si unisce lo zucchero, la farina e la scorza degli aranci grattugiata fine, si lavora tutto assieme per 20 minuti dopo il burro sciolto ma non bollente, in ultimo la dose e mescolare bene versare tutto in una ruola unta e spolverizzata di pane grattugiato metterla subito al forno di calore moderato per circa 30 minuti. Cotta che sia la torta bucatela un poco con uno stecchino finché è calda e versatele subito uno sciroppo formato dal sugo delle 4 arance schiacciate e passate il sugo, fatelo bollire per 5 minuti con 6 cucchiaini di zucchero. È molto bene farla un giorno prima, solo prima di servirla tagliarla a mandorle e spolverizzarla di zucchero a velo.

Anna Maria, anni 50

Dolce gelato di Negrini

Ingredienti:
Burro g 250
Zucchero a velo g 250
Rossi d'uovo 4
Caffè molto ristretto una tazzina
Savoiardi 12

Preparazione:
Montare bene il burro con lo zucchero, battere a parte le uova (i rossi) e unire al tutto e ancora mescolare; infine aggiungere la tazzina di caffè molto ristretto e mescolare ancora. Foderare uno stampo con savoiardi bagnati di liquore e versarvi il composto. Ricoprire di savoiardi imbevuti e mettere in ghiaccio. La doppia dose basta per 12 persone ed è anche abbondante. Si riempie lo stampo più grande senza buco.

Paola, anni 50

Coppe di cioccolato e panna

Fare un buon cioccolato ghiacciato e mettere in coppe con un cucchiaio di panna montata. Si serve freddo.

Paola, anni 50

Torta Maria della Nerina

Ingredienti:
Farina g 250
Zucchero a velo g 250
Burro g 200
Mandorle g 100
Uva g 100
Uova 6
Marmellata g 150

Preparazione:
Unire lo zucchero e il burro e mescolare insieme ai tuorli, poi aggiungere la farina, l'uva e le mandorle ben tritate. Mettere al fuoco, quando la pasta è cotta, togliere dal fuoco, spalmare di marmellata e aggiungere sopra le chiare montate a neve alle quali siano stati uniti g 100 di zucchero, poi mettere ancora al forno per 10 minuti.

Nerina, anni 60

Ingredienti:
Rossi 4
Uova intere 1
Burro g 80
Mandorle pelate g 100
Zucchero velo g 200
Panettone g 500
Panna l 1/2

Dolce di panettone e panna egiziano

Preparazione:
Lavorare il burro con lo zucchero, aggiungere uno alla volta i rossi e l'uovo intero. Quando il composto è ben montato aggiungere le mandorle tritate fini e 1/3 della panna montata. Fare uno strato di fette di panettone imbevute leggermente di cognac sul fondo di una ruola smontabile. Versare metà della crema gialla, ricoprire di fette di panettone imbevute, versare la rimanente crema e finire con uno strato di fette di panettone. mettere in frigo. Al momento di servire si toglie il cerchio esterno della ruola e si ricopre tutto con la rimanente panna alla quale si è aggiunto un poco di zucchero a velo. Si può fare giorni prima e mettere in freezer.

Anna Maria, anni 60

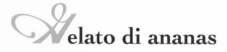elato di ananas

Ingredienti:
Rossi d'uovo 5
Zucchero semolato 5 cucchiai
Barattoli di ananas a fette 2
Fecola 2 cucchiaini
Panna l 1/2

Preparazione:
Fare la crema battendo i rossi con lo zucchero, aggiungere la fecola e il sugo dei 2 barattoli di ananas. Quando è cotta aggiungere le fette di ananas di 1 barattolo tritate e lasciare raffreddare. Aggiungere la panna montata zuccherata non troppo. Mettere le rimanenti fette di ananas sul fondo e sulle pareti di uno stampo e versarvi il tutto. Mettere in freezer e toglierlo prima di servire.

Anna Maria, anni 70

Torta di cioccolata

Ingredienti:
Mandorle g 300
Uova 6
Zucchero g 300
Cioccolata g 200
1 limone grattugiato

Preparazione:
Si prendono le mandorle tostate e pestate con una bottiglia da formare una poltiglia n. 6 uova solo i tuorli e lo zucchero e scorza di limone
grattugiata. Si fa sbattere molto bene e gli albumi (3) si battono a fioc-
co (ma si mettono per ultimi). Fatto il marzapane vi si aggiungono
le mandorle pestate e la cioccolata un po' di latte (è meglio) e per
ultimo gli albumi montati e si mette nello stampo unto con burro e
farinato e si cuoce il dolce a fuoco molto lento.

Elisabetta, anni 80

$\mathcal{S}$alsa di fragole

Ingredienti:
Fragole g 700
Zucchero g 150
1 limone
Acqua g 150
Maraschino 2 bicchierini

Preparazione:
Frullare le fragole. Mettere in un tegamino lo zucchero con l'acqua, sciogliere e fare bollire per 7-8 m. Aggiungere le fragole e far cuocere fino a che la salsa si sarà addensata.
Aggiungere il succo di limone e il liquore. Va molto bene sul semifreddo alla fragola e sulla meringata.

Anna Maria, anni 80

Dolce alla panna

Ingredienti:
Panna 1/2
Uova 5
Zucchero velo 5 cucchiai
Amaretti g 200
Mandorle g 150

Preparazione:
Montare bene i rossi e lo zucchero, unire la panna montata, gli amaretti tritati finissimi e 2 chiare montate. Mettere in uno stampo e in ghiaccio. Si può fare con una tazzina di caffè ristretto.

Anna Maria, anni 90

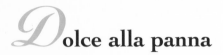

Soufflé glacé au Grand Marnier

Ingredienti:
Panna l 1/2
Uova 6
Zucchero a velo g 150
Scorza arancio candito g 70
Grand Marnier cl. 10

Preparazione:
Montare i rossi con lo zucchero, aggiungere la scorza a cubetti, il Grand Marnier e la panna montata soda. Versare in uno stampo con pellicola e mettere in freezer. Servire con questa salsa: mettere zucchero con un po' di acqua e fondere sul fuoco in un pentolino, quando è di colore dorato versare dell'acqua (attenzione, brucia!), poi del Grand Marnier e delle scorzette sottili di arancio candito. Cuocere ancora un po' e lasciare raffreddare.

Anna Maria, anni 90

*F*rutta in crosta

Ingredienti:
Zucchero g 100
Farina g 100
Burro g 1400
Frutta varia di stagione, prugne secche snocciolate, uvetta sultanina
o fresca, pinoli, noci, triangolini di arancia e limone.

Preparazione:
Tagliare a tocchetti la frutta e metterla in una pirofila con quella
secca. Amalgamare con le mani lo zucchero, la farina e il burro, poi
fare come delle grosse "briciole" da versare sulla frutta.
Infornare a 200° per un'ora.
Quando la pasta è dorata vuol dire che la frutta è cotta.
Servire calda o tiepida.

Velia, anni 10

lassatura di cioccolato per dolci

Ingredienti:
Cioccolato g 100
Burro g 50
Latte n. 3 cucchiai
Rossi d'ovo n. 1

Preparazione:
Si stempera la cioccolata col latte, poi si aggiunge il burro a pezzetti
e si mescola in fretta stando sul fuoco. Quando è sciolto il burro, si
aggiunge l'uovo, sempre stando sul fuoco. Si versa calda sul dolce
facendole scorrere.

Marta, anni 40

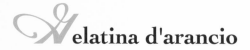elatina d'arancio

Ingredienti:
Succo di 3 arance
Succo di 1 limone
Mezzo bicchiere d'acqua
Zucchero g 200
Colla di pesce g 10
Rhum n. 2 bicchierini
Alkermes n. 4 cucchiai

Preparazione:
Ammorbidire la colla di pesce in acqua fredda cambiandola più volte. Spremere le tre arance e il limone e passarne il succo attraverso un tovagliolino. Bollire per 10 minuti lo zucchero con metà o più dell'acqua del bicchiere e unirlo al succo ottenuto senza passarlo. Mettere sul fuoco la colla di pesce con la rimanente acqua e quando avrà alzato il bollore, versarla nel tutto senza passarla. Aggiungere il rhum e l'alkermes. Quando inizierà a raffreddare, versare nel recipiente unto precedentemente con olio e tenerlo al fresco.

Anna Maria, anni 50

azzine

Crema:
Rossi d'ovo n. 1
Zucchero n. 2 cucchiai
Latte n. 1 tazzina
Farina n. mezzo cucchiaio
Scorza di limone

Cioccolato:
Si scioglie sul fuoco della copertura di cioccolato fondente, con caffè bollente ristretto.

Preparazione:
Sul fondo delle tazzine si versa la cioccolata, quando è fredda si copre con la crema.

Anna Maria, anni 50

*P*esche ripiene al cioccolato

Ingredienti:
Pesche n. 7
Amaretti g 100
Burro g 50
Cacao amaro g 25
Zucchero g 100
Uova intere n. 1
Qualche mandorla

Preparazione:
Lavare le pesche, dividerle a metà togliendo il nocciolo, e metterle in una teglia unta di burro. Mettere in una zuppierina gli amaretti tritati, lo zucchero, il cacao, le mandorle tritate e pelate, un uovo, un bicchierino di liquore, più un poco di polpa tolta di ogni mezza pesca (in modo che abbiamo un vuoto maggiore) Fare un impasto e con esso riempire ogni mezza pesca, bordi compresi. Poi mettere su di ognuna un pezzettino di burro. Lasciare in forno caldo per 25 minuti (a forno inizialmente freddo, 25 minuti).
Si servono sia tiepide che fredde.
(Se l'impasto riuscisse molto tenero, metterci poca polpa delle pesche e niente liquore).

Margherita, anni 30

Rullo di noci

Ingredienti:
Uova n° 6
Noci gr. 140
Zucchero gr. 140

Preparazione:
Montare i tuorli con lo zucchero, unire le noci tritate finissime con la macchinetta e gli albumi a neve. Stendere l'impasto su una carta oleata unta e mettere in forno. Cuocere lentamente per circa un quarto d'ora. Togliere dal forno e rovesciare su uno strofinaccio. Ricoprire la sfoglia con panna montata e arrotolare. Appoggiare su un vassoio e guarnire con panna montata e mezze noci e spolverare di cacao.

Marta, anni 40

Natale a tavola

La cena della Vigilia

Il pranzo di Natale

Introduzione

Secondo tradizione. Il cenone della Vigilia, a base di pesce. E il pranzo di Natale: ancora oggi momento simbolico che, al rito della festività religiosa, unisce una forte valenza affettiva. E' il momento, infatti, della riunione famigliare. Quando ci si ritrova in letizia intorno alla tavola imbandita per festeggiare la Natività. Ma anche per sottolineare il legame che ci unisce alle persone più care. Il cibo, dunque – più che mai in questa occasione – torna a rivestire il suo significato più vero: quello di nutrimento buono, dunque, di amore. Il pranzo di Natale, a Bologna, è tuttora una tradizione importante, irrinunciabile. Anche oggi, che le abitudini di vita alimentari sono così cambiate, e di pari passo anche gli usi e costumi a tavola, le festività natalizie sono il momento in cui, per i bolognesi, è di rigore tornare al mangiare della tradizione petroniana.

Il pranzo di Natale, dunque, è il momento in cui si ritrovano le proprie radici. E, per i bolognesi, è l'occasione per rigustare – alla faccia delle calorie, ansia dei tempi moderni - le saporite squisitezze che appartengono alla lunga tradizione gastronomica petroniana. Un'occasione alla quale - anche per chi sta a dieta, per coloro che consumano abitualmente pasti fuori casa o si accontentano di un panino, oppure si nutrono di piatti già pronti comprati al supermercato – è difficile rinunciare.

Ecco allora che <Atti> - negozio ultracentenario, campione della gastronomia petroniana - in occasione di questa seconda edizione del volume propone ai lettori due menù completi, per la cena della Vigilia e il pranzo di Natale. Ricette di famiglia, naturalmente, a cui se aggiungono altre, raccolte tra amiche e collaboratrici.

Prima, c'è il cenone della Vigilia, articolato – come esige l'usanza - in una serie di piatti di pesce.

Ma, dato che viviamo in tempi di rottura di schemi e regole seguite fino a ieri dalle nostre famiglie, ecco un suggerimento: il menù della Vigilia, sarà perfetto anche per il giorno di Natale, se si vuol fare un banchetto più leggero.

Il pranzo di Natale che troverete in queste pagine, propone invece una scelta alternativa al classico menù con i tortellini, le lasagne, l'immancabile lesso e la zuppa inglese. Ma pur sempre, irrinunciabilmente, nel solco della tradizione.

Questo ricco menù targato <Atti> unisce, con originalità, ricette di ieri e di oggi. Si tratta, comunque, di 'segreti' della cucina di casa, patrimonio prezioso della 'cultura del cibo' bolognese.

$\mathcal{S}$paghetti col tonno

Ingredienti:
Spaghetti "Setaro" g 400
Ventresca di tonno g 250
Filetti di acciughe n. 3
Cipolle bianche n. 2
Conserva di pomodoro g 400
Olio di oliva

Preparazione:
Affettare le cipolle, cuocerle a fuoco lento in un po' di olio e un goccio di acqua, finché diventano di colore rosa. Aggiungere la conserva e fare bollire piano finché il composto si restringe. Poi aggiungere il tonno sbriciolato e i filetti di acciughe, e cuocere ancora per 5 minuti. Cuocere gli spaghetti al dente e condire con il sugo.

Eda, anni 60

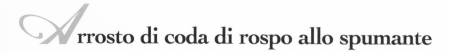rrosto di coda di rospo allo spumante

Ingredienti:
Coda di rospo g 500
Salmone g 150
Cucchiaio di piselli surgelati n. 1
Rametto di rosmarino n. 1
Spicchio di aglio n. 1
Fumetto di pesce o brodo vegetale
Spumante
Olio extra vergine d'oliva
Sale, pepe

Preparazione:
Affettare sottilmente il salmone. Allargare il pezzo della coda di rospo, salarla, peparla e farcirla con le fettine di salmone ed i piselli fatti lessare in acqua salata. Arrotolare, legare e far cuocere il rotolo in olio, spumante e fumetto di pesce, rosmarino e aglio. Tempo di cottura: circa 25 minuti in casseruola, ma anche in forno. Lasciare raffreddare il pesce ed affettarlo. Ricuperare il fondo di cottura, restringerlo se necessario e rifinirlo con olio extra vergine, poco succo di limone e prezzemolo tritato. Riscaldare leggermente a vapore le fette di pesce e servirle irrorate con la salsa bollente.

Anna Maria, anni 90

U ova ripiene al salmone

Ingredienti:
Uova intere n. 6
Salmone affumicato kg 1
Metà limone
Cucchiaio di olio d'oliva n. 1
Salsa Worchester
Sottaceti
Insalata russa per guarnire

Preparazione:
Rassodare le uova, raffreddare sotto l'acqua corrente, sgusciarle e tagliarle a metà nel senso della lunghezza. I tuorli, frullarli con il salmone, il sugo di limone, l'olio, una spruzzata di Worchester e riempire l'albume con la tasca da pasticcere e decorare con rondelline di salmone.

Chiara, anni 90

Terrina al salmone

Preparazione:
Fate una dadolata con carota, porro e zucchina, e sbollentarla in acqua salata. Ammorbidite in acqua fredda la gelatina, poi strizzatela e stemperatela in due cucchiaiate di latte bollente. Unitela alla robiola, insieme con la verdura, sale e pepe. Rivestite con pellicola trasparente una terrina da un litro e foderatela con parte delle fettine di salmone, facendole debordare. Versate il composto di robiola nella terrina mettendola a strati alternati con il salmone e mettendo per ultimo il formaggio. Coprite con le fettine di salmone debordanti e passate in frigo per almeno sei ore.
Al momento di servire, sfornate la terrina su un piatto da portata.

Anna Maria, anni 90

$\mathcal{S}$emifreddo alle fragole

Ingredienti:
Fragole g 500
Zucchero g 250
Zucchero a velo g 50
Panna l 1/2
Limone spremuto n. 1

Preparazione:
Frullare per 2 minuti nel frullatore le fragole, lo zucchero e il succo del limone. Montare bene la panna, aggiungere lo zucchero a velo, poi la frutta frullata mescolando delicatamente.
Foderare uno stampo con la pellicola, versarvi il composto e mettere in freezer. Prima di servire, toglierlo dallo stampo e lasciarlo un'ora nel frigo.

Marisa, anni 70

$\mathcal{M}$inestra di composta

Ingredienti:
Dose per 12 persone.
Farina (farina viennese) hg 2
Latte hg 6
Burro hg 0,5
Uova n. 5

Preparazione:
Con il fiore, il burro e il latte fare una besciamella che venga come una crema. Fare intiepidire, aggiungere i 5 rossi mescolando sempre e mettervi il ripieno dei tortellini(dose per 6).
Da ultimo montare gli albumi ed aggiungerli delicatamente al resto.
Ungere col burro una ruola e passare pangrattato o semolino.
Versare il composto non più alto di un dito. Mettere in forno e fare attenzione alla cottura, che non diventi rosso. A freddo tagliare a dadini (come la zuppa imperiale), mettere nella zuppiera e versare il brodo bollente.

Nonna Clorinda, fine 800

Rose di Natale

Ingredienti:
Sfoglia gialla g 250
Prosciutto cotto g 400
Emmenthal g 400
Latte, farina, burro, parmigiano g 0,750.

Preparazione:
Tagliare dalla sfoglia delle strisce di cm. 15x18. Lessarle al dente, passarle in acqua fredda, stenderle sul tagliere e asciugarle. Coprirle con una besciamella fatta con g 750 di latte, burro, farina e parmigiano. Sopra, mettere fette sottili di emmenthal e poi prosciutto cotto. Arrotolare ben stretto le strisce, poi tagliarle dell'altezza della pirofila. Mettere le rose in piedi nella pirofila unta di burro, tagliare con le forbici la parte superiore come per fare dei petali, cospargere di burro fuso e mettere in forno a 150° per 15 minuti.

Paola B., anni 90

R ifreddo d'inverno

Ingredienti:
Lombo di maiale hg 3,50
Petto di pollo a strisce 1
Prosciutto crudo hg 3
Mortadella hg 2,50
Vitello hg 2,50
2 uova sode intere messe in mezzo
Forma secondo il gusto, più 5 uova fresche
Pepe, sale, triffola

Preparazione:
Se si può, usare un cappone (é meglio del pollo), disossarlo tutto cercando di mantenere intera la pelle. Passare nella macchina tutto il pollo (o il cappone), il vitello, il lombo di maiale con metà del vitello, mortadella, prosciutto più il petto di pollo, fare dei filetti grandi come un dito mignolo. Impastare bene il macinato con le 5 uova crude, la forma grattata, sale e pepe. Stendere metà macinato sulla pelle del pollo, metterci sopra i filetti e le 3 uova sode, ricoprire con l'altra metà di macinato. Se è possibile, mettere nel mezzo la triffola tagliata a velo. Chiudere bene con la pelle e cucire, se ci sono i buchi.
Avvolgere in un telo, chiudere con uno spago e bollire nel brodo di carne per 3 ore e mezza, in modo che bolla piano, continuando a voltarlo ogni tanto. Quando si toglie, ben caldo, metterlo sotto un peso e tenerlo finché non è freddo. Metterlo tra 2 piatti in frigo fino al momento di tagliarlo a fette. Nel piatto di portata coprirlo con la gelatina.

Berta, anni 70

Rollè di tacchino ripieno

Ingredienti:
Una fetta ben battuta di petto di tacchino di kg 1
Fontina tagliata a macchina g 200
Ricotta g 100
Prosciutto cotto g 100
Prezzemolo, sale, pepe, rosmarino, aglio, burro,
Mezzo bicchiere di vino bianco.

Preparazione:
Battere bene la fetta di carne, coprirla con le fette di fontina, poi con
il prosciutto cotto, infine mettere nel centro la ricotta con il prezzemolo tritato, sale, pepe e un po' di parmigiano. Arrotolare la carne,
legarla e cuocere in forno con un po' di burro, il vino e 2 spicchi di
aglio per un ora e mezzo.
Servire a fette ben caldo.

Marisa, anni 70

Pomodori gratin della Maria

Ingredienti:
Pomodori rossi tondi non grossi kg 1
Pangrattato
Un po' di aglio e prezzemolo tritati insieme, olio di semi, sale

Preparazione:
Lavare i pomodori, togliere accuratamente la parte dura dove c'è il gambo, levare i semi, salarli e lasciarli capovolti per almeno mezz'ora, dopo averli divisi in due parti. Preparare in una ciotola il pangrattato, il parmigiano, l'aglio e il prezzemolo (appena appena), mescolare bene, poi riempire a metà. Mettere un po' di olio in una teglia, disporvi i pomodori ripieni, versarvi sopra a filo un altro po' di olio, quindi salarli appena. Infornarli al minimo e sentirli ogni tanto nel mezzo con una forchetta. Spegnere quando sono teneri al centro.

Maria di S. Luca, anni 60

Torta di cioccolata gelatina e panna

Ingredienti:
Uova intere n. 4
Fecola g 180
Burro g 180
Zucchero a velo g 180
Cioccolata in polvere g 100
Cremore g 10
Bicarbonato g 5

Preparazione:
Battere i rossi con lo zucchero, unire il burro sciolto montato bene. Setacciare la dose con la fecola e unire alla crema, poi la cioccolata e in ultimo le chiare montate. Versare in una ruola alta di bordo, mettere in forno ad alta temperatura per circa un quarto d'ora. Quando la torta è cotta, si sforna e s'inzuppa di gelatina di albicocca (2 cucchiai). Alla gelatina vanno aggiunti 2 cucchiai di rhum, e il tutto va sciolto sul fuoco. Prima di servirla si copre di panna.

Anna Maria, anni 60

Agrumi tagliati al maraschino

In una coppa di cristallo, mettere a strati alternati fette di arancio, pompelmo bianco, pompelmo rosa, mandarino tutti prima pelati al vivo. Mettere anche qualche mandarino cinese intero e cospargere di zucchero. In ultimo versare il maraschino e tenerla in frigo coperta.

Paola, anni 60

Le mille varietà di pane sfornate ogni mattina dalla ditta "Paolo Atti & Figli".

Sullo sfondo il reparto di gastronomia inaugurato nel 1991.

L' **evoluzione del gusto.** Nel 1950, per un bolognese il consumo di pane pro capite era di circa 250 g al giorno. Questo genere alimentare, infatti, prima del 'boom' economico, era spesso affiancato al consumo di polenta. E, nelle situazioni di indigenza, veniva consumato comunemente al posto di altri alimenti. Nel 2000, invece, in piena società del benessere, di pane se ne mangia di meno, come mette in evidenza la media del consumo pro capite che, a Bologna, è scesa a 150 g.

Oggi, quindi, il consumo di pane è spesso legato alla ricerca di nuove specialità. Anche 'Atti', che ha seguito passo passo le preferenze dei bolognesi negli ultimi 120 anni, ora si è adeguato alle nuove tendenze del gusto. Introducendo i nuovi pani regionali e internazionali che sono stati affiancati alla produzione tipicamente bolognese dei pani all'olio: montasù, mustafà, crocette, ragnini, tierine, spighe e code di rondine.

Il nuovo obiettivo, per un'azienda storica come 'Atti', infatti, è quello di trovarsi al passo con i gusti dei consumatori di oggi, nell'era della globalizzazione. Così, oltre ai pani bolognesi, 'Atti' sforna ogni giorno il 'viennese' (nei formati 'reggipetto' e Marconi), il torinese e le baguettes francesi, il pane arabo, la treccia svizzera e il toscano senza sale, il pane pugliese fatto di semola di grano duro, oltre ai 'grissoni' torinesi tirati a mano e ai grissini normali e grossi da bar. A questa varietà di tipologie, inoltre, oggi si affianca la produzione dei pani arricchiti con sesamo, papavero, origano, uvetta, verdure e noci.

Anche le diverse preferenze che si sono evidenziate negli ultimi decenni tra le varie tipologie del pane bolognese, dicono molto sui mutamenti di tendenza che si sono registrate nell'ambito della 'cultura del cibo' sotto le Due Torri nell'arco di un secolo.

Una prima distinzione, va fatta tra città e campagna, dove una volta si consumava prevalentemente il pane grosso. Sotto le Due Torri, invece, è sempre andato per la maggiore il pane condito, ossia il pane all'olio e allo strutto, come i barilini, le crocette, i montasù.

Ma oggi, con l'affermarsi delle nuove istanze salutistiche che sottolineano la necessità di cibi leggeri e poveri di grassi, i consumatori si orientano maggiormente sul pane comune, che risulta anche il più caro, poiché richiede più tempo e manodopera. A questo si affianca, nella 'hit' dei consumi, anche il pane integrale ricco di crusca, lo stesso che si mangiava in tempo di guerra e che una volta era riservato ai meno abbienti.

Pane fresco di giornata. Nel forno della ditta 'Atti' (842 mq in totale, tra le due rivendite e i laboratori, e 24 dipendenti) il pane si inizia a fare alle 3 di notte e si va avanti ininterrottamente fino alle 10 del mattino. All'interno del forno, la produzione è regolata da una ferrea organizzazione del lavoro, in base ai tipi di pezzatura del pane e dei tempi di cottura. Perciò, si inizia col toscano, poi seguono le varie tipologie a pasta dura: l'integrale, il pane comune, le focacce genovesi, il pane all'olio e quello di semola di grano duro. Seguono, infine, le crescente col prosciutto e la mortadella e, via via, i tipi di pane a pasta molle: il pane arabo, gli 'zoccoli', le ciabatte, i torinesi e le rosette.

Nuove tecnologie. La tradizione si può ben coniugare a sistemi di avanguardia per la preparazione e la cottura del pane e di altri prodotti alimentari artigianali. E la storica ditta 'Atti' lo dimostra. La strada, in questo senso, l'aprì Paolo Atti in persona. Già lui, all'inizio del '900 aveva sperimentato un sistema per fermare la lievitazione tramite la produzione del freddo, con l'ausilio di un compressore ad ammoniaca realizzato in collaborazione con la ditta 'Barbieri' di Castel Maggiore.
Con questo sistema, Atti era riuscito a controllare la lievitazione del pane: cosa che gli consentiva di razionalizzare la produzione secondo i tempi del forno.
Oggi, desta una certa sorpresa - dopo aver ammirato il negozio Liberty di via Caprarie e quello di Drapperie, più semplice, ma ugualmente simbolo di un'epoca – scoprire, nei locali retrostanti, i moderni macchinari del forno del pane, accanto ad altri con maggior 'anzianità di servizio', ma che tuttavia sono ancora perfettamente efficienti: il forno ciclotermico, la cella di lievitazione, i silos di farina automatizzati, e poi le impastatrici – a forcella, a spirale e a 'bracci tuffanti'- il cilindro per raffinare la pasta, la macchina formatrice. E, infine, una vecchia rondo-

Il compressore ad ammoniaca per la produzione
del freddo ideato da Paolo Atti.

La cella refrigerante per arrestare la fermentazione
del pane all'inizio del '900.

24 ottobre 1995: Anna Maria Bonaga riceve un riconoscimento alla ditta 'Atti' da Giorgio Guazzaloca.

Giugno 2000: foto ricordo dello stand della Associazione Panificatori alla Fiera di Bologna. Al centro, di fianco a Romano Bonaga, il cardinale Giacomo Biffi. Il penultimo a destra é Paolo Bonaga.

spira Werner, di fabbricazione tedesca, tuttora usata per arrotondare le rosette. I laboratori 'Atti' comprendono, oltre al forno, un reparto pasta fresca, uno di pasticceria e un reparto di gastronomia.

Verso il Terzo Millennio: il futuro nel turismo. Con lo spopolamento del centro storico - fenomeno in crescita negli ultimi vent'anni - e l'avvento della grande distribuzione fuori porta, per i negozi al dettaglio nel cuore di Bologna, la sopravvivenza è sempre più difficile. Per questo, il futuro di una ditta di 120 anni come 'Paolo Atti & Figli', autentica pietra miliare della cultura materiale bolognese dell'ultimo secolo, oggi è anche affidato al turismo. E' questa, la 'nuova frontiera' che, in particolare nell'anno di <Bologna 2000-Città europea della cultura>, ha rivitalizzato il centro storico di Bologna e ridato nuova linfa a quelle poche attività commerciali di antica data che, come 'Atti', ancora tengono duro, con la determinazione ad andare avanti.

E, con determinazione, 'Atti' ha scelto la propria via del domani puntando sulla qualità e sulla specializzazione.

Così, oggi più che mai, l'azienda offre al pubblico una scelta di delikatessen esclusive di propria produzione, e una selezione di specialità gastronomiche di nicchia. E' proprio questa, all'alba del Terzo Millennio, la 'filosofia' della storica ditta 'Atti', dove il futuro è garantito dalla quinta generazione, che vi lavora a tempo pieno: Rita, Chiara, Paolo e Francesco, figli di Anna Maria e Romano Bonaga. Paolo, con in tasca una laurea in economia e commercio conseguita nel '92, ha frequentato la scuola di panificazione 'Richmond' di Lucerna e numerosi stage di aggiornamento in materia di panificazione. E' a lui, e al fratello Gilberto – di professione geologo - che si deve l'informatizzazione della ditta 'Atti', che è su Internet all'indirizzo www.paoloatti.com.

Ma oggi, una delle più interessanti prospettive, per 'Atti' è legata, appunto, al turismo. I negozi di via Caprarie e via Drapperie, infatti, sono meta di continue visite di turisti e 'media' stranieri, al pari di un monumento storico. E la ditta 'Atti' può davvero, e a giusta ragione, essere considerata un monumento della 'cultura del cibo' petroniano.

Non è un caso, quindi, se il suo prodotto-simbolo – quello più richiesto non solo dai bolognesi, ma anche dagli stranieri – rimane il certosino. Che viene prodotto tutto l'anno e confezionato dentro quelle stesse scatoline Liberty che tanto successo hanno riscosso nell'arco di quasi un secolo: un 'messaggio' gastronomico che viene spedito in tutto il mondo, a testimonianza della storica tradizione alimentare che è ancora viva e vegeta sotto le Due Torri.

Due esemplari degli anni '20 della scatola del certosino. Quella a lato viene tuttora utilizzata da 'Atti' per commercializzare il celebre prodotto.

Settembre 2000: la famiglia Bonaga festeggia i 120 anni di attività di "Paolo Atti & Figli".

Progretto grafico: Studio Kuni

Finito di stampare in ottobre 2002